Winn-

Winn-Dixie

Kate DiCamillo

Texte français de Brigitte Fréger

Éditions
■SCHOLASTIC

L'auteure tient à exprimer sa reconnaissance à Betty DiCamillo,
Linda Nelson, Amy Ehrlich, Jane Resh Thomas, Liz Bicknell,
aux groupes du club du mercredi soir et du lundi soir,
ainsi qu'à Kara LaReau, membre fondateur du club des fans
de *Because of Winn-Dixie* et réviseure hors du commun.

Winn-Dixie est la marque déposée fédérale et la marque de service
de Winn-Dixie Stores, Inc. Cet ouvrage n'a été ni rédigé, ni fabriqué,
ni approuvé, ni enregistré sous licence par la société Winn-Dixie Stores, Inc.
L'auteure de cet ouvrage et ses éditeurs ne sont d'aucune façon
affiliés à cette société.

Catalogage avant publication de
Bibliothèque et Archives Canada

DiCamillo, Kate
Winn-Dixie / Kate DiCamillo;
texte français de Brigitte Fréger.

Traduction de : Because of Winn-Dixie.
Pour les 8 ans et plus.
ISBN 0-439-96246-3

I. Fréger, Brigitte II. Titre.

PZ23.D5125Wi 2004   j813'.6   C2004-903518-5

Édition publiée par les Éditions Scholastic,
175 Hillmount Road, Markham (Ontario) L6C 1Z7.

5 4 3 2 1   Imprimé au Canada   04 05 06 07

pour Tracey et Beck,
les premières à écouter

Chapitre un

India Opal Boloni – c'est mon nom – va vous raconter comment toute cette histoire a commencé. Eh bien! voilà, l'été dernier, mon père, le pasteur, m'a envoyée au magasin acheter une boîte de macaroni au fromage, du riz blanc et deux tomates, et je suis revenue avec un chien. Voici ce qui s'est passé : alors que je longeais le rayon des fruits et légumes du supermarché Winn-Dixie à la recherche de mes deux tomates, j'ai failli heurter le gérant du magasin. Il était debout au milieu de l'allée, rouge de colère, en train de hurler et de gesticuler.

— Qui a laissé entrer ce chien? criait-il sans cesse. Qui a laissé entrer ce chien tout sale?

Tout d'abord, je n'ai pas vu de chien. Il n'y avait qu'un tas de légumes éparpillés sur le plancher, des tomates, des oignons et des poivrons verts. Et toute une armée d'employés de Winn-Dixie, qui couraient dans tous les sens en agitant leurs bras, comme le gérant du magasin.

Puis le chien est apparu au bout de l'allée. C'était un gros chien, assez laid. Il avait l'air de beaucoup s'amuser. La langue pendue, il remuait la queue. Il s'est arrêté et m'a souri. Je n'avais jamais vu de chien sourire de ma vie, mais je vous jure qu'il a souri. Il a retroussé les babines et m'a montré toutes ses dents. Ensuite, il a agité la queue avec une telle frénésie qu'il a fait tomber des oranges, qui sont allées rejoindre les tomates, les oignons et les poivrons verts étalés sur le plancher.

— Que quelqu'un attrape ce chien! a crié le gérant.

Le chien a couru vers le gérant en remuant la queue, le sourire fendu jusqu'aux oreilles. Il s'est d'abord relevé sur ses pattes postérieures. Il était évident qu'il voulait s'adresser directement au gérant pour le remercier du plaisir qu'il avait eu au rayon des fruits et légumes, mais il a finalement fait trébucher l'homme, qui s'est étalé de tout son long. Le pauvre gérant avait sûrement eu une dure journée, car il s'est mis à pleurer, devant tout le monde. Le chien s'est penché sur lui, l'air préoccupé, et lui a léché le visage.

— S'il vous plaît, s'est lamenté le gérant, que quelqu'un appelle la fourrière!

— Non! Attendez! ai-je crié. C'est mon chien. N'appelez pas la fourrière.

Lorsque tous les employés du magasin se sont tournés vers moi, j'ai réalisé que je venais d'accomplir quelque chose d'important, et sans doute aussi de stupide, mais c'était plus fort que moi. Je ne pouvais pas abandonner ce chien à son triste sort.

— Ici, mon grand! ai-je lancé.

Le chien a arrêté de lécher le gérant, il a pointé les

oreilles et m'a regardée, comme s'il essayait de se souvenir d'où il me connaissait.

— Ici, mon grand! ai-je répété.

Et puis j'ai supposé que, comme tout un chacun, le chien préférait qu'on l'appelle par son nom; mais le problème, c'était que je ne connaissais pas son nom, alors j'ai dit la première chose qui m'est passée par la tête.

— Ici, Winn-Dixie! ai-je ordonné.

Le chien s'est avancé vers moi en trottinant, comme s'il avait fait cela toute sa vie.

Le gérant s'est assis et m'a fusillée du regard, comme si je m'étais moquée de lui.

— C'est son nom, ai-je déclaré. Je vous le jure!

— Ne sais-tu pas qu'il est interdit de laisser entrer un chien dans une épicerie?

— Oui, monsieur, je le sais. Il est entré par erreur. Je suis désolée. Ça ne se reproduira plus. Allez, viens, Winn-Dixie! ai-je ordonné au chien.

J'ai commencé à marcher et il m'a suivie dans l'allée des céréales, puis à la caisse; et nous avons enfin atteint la sortie.

Une fois dehors, à l'abri des regards, je l'ai inspecté soigneusement et il ne m'a pas paru en très bonne santé. Il était grand mais tellement squelettique qu'on pouvait voir ses côtes. Et il avait des plaques chauves sur tout le corps, des endroits où il n'avait pas de poil du tout. En gros, il ressemblait à un vieux tapis brun qu'on aurait laissé dehors, sous la pluie.

— Tu as l'air misérable, ai-je dit. Je parie que tu n'as pas de maître.

Il m'a souri. Il a refait sa mimique : il a retroussé les babines et m'a montré toutes ses dents. Il a tellement souri que ça l'a fait éternuer. C'était comme s'il me disait : « Je sais que j'ai l'air misérable. Mais c'est drôle, non? »

Il est difficile de ne pas avoir le coup de foudre pour un chien qui a le sens de l'humour.

— Viens, ai-je dit. Allons voir ce que le pasteur va penser de toi.

Et nous sommes partis tous les deux, Winn-Dixie et moi, en direction de la maison.

Chapitre deux

L'été où j'ai trouvé Winn-Dixie, c'était également l'été où le pasteur et moi avons déménagé à Naomi, en Floride, où il avait été nommé à l'église baptiste Open Arms. Mon père est un bon pasteur et un homme généreux, mais il passe tellement de temps à prêcher et à préparer ses sermons, ou à se préparer à prêcher, qu'il est parfois difficile pour moi de penser à lui comme à un père. C'est pourquoi, dans mon esprit, c'est davantage un pasteur. Avant ma naissance, il a été missionnaire en Inde, et c'est d'ailleurs pour cela que je me prénomme India. Mais il m'appelle par mon second prénom, Opal, car c'était le nom de sa mère et il l'aimait beaucoup.

Toujours est-il qu'en rentrant à la maison, j'ai raconté à Winn-Dixie comment j'ai hérité de mon prénom et que je venais de déménager à Naomi. Je lui ai également parlé du pasteur, que c'était un homme bon, même s'il était trop absorbé par les sermons, les prières et les miséreux pour aller faire les courses à l'épicerie.

— Mais tu sais quoi? ai-je lancé à Winn-Dixie, comme tu as l'air misérable, tu vas sûrement lui plaire tout de suite. Il va peut-être même accepter que je te garde.

Winn-Dixie m'a regardée et a remué la queue. Il boitait légèrement, comme s'il avait mal à la patte. Et il faut reconnaître qu'il puait terriblement. Il était laid, mais je l'aimais déjà de tout mon cœur.

Lorsque nous sommes arrivés au parc de maisons mobiles Friendly Corners, j'ai prévenu Winn-Dixie qu'il devait bien se tenir et ne pas faire de bruit, car le parc était réservé aux adultes; s'ils m'acceptaient, c'était parce que j'étais la fille du pasteur, et que j'étais sage et bien élevée. J'étais ce que les résidants du parc appelaient « une exception ». J'ai demandé à Winn-Dixie de se comporter, lui aussi, comme une exception et surtout, de ne pas se battre avec les chats de M. Alfred ou avec Samuel, le terrier de Mme Detweller. Pendant que je lui parlais, Winn-Dixie n'a pas cessé de m'observer, et je vous jure qu'il comprenait mes paroles.

— Assis! ai-je ordonné lorsque nous sommes arrivés à la maison.

Il a obéi tout de suite, car il était bien élevé.

— Reste ici, ai-je ajouté. Je reviens tout de suite.

Le pasteur était assis dans le salon, à la petite table pliante. Il avait des papiers étalés tout autour de lui et se frottait le nez, ce qui signifiait qu'il réfléchissait. Profondément.

— Papa? ai-je lancé.

— Mouiii, a-t-il marmonné.

— Papa, tu me dis toujours qu'il faut aider les moins fortunés que nous.

— Mouiii, a-t-il répondu en se frottant le nez, le regard perdu dans ses papiers.

— Eh bien! j'ai trouvé un moins fortuné à l'épicerie.

— Vraiment?

— Oui.

J'ai dévisagé le pasteur. Il me faisait quelquefois penser à une tortue qui se cache dans sa carapace pour réfléchir à l'état du monde, sans jamais sortir la tête.

— Papa, ce moins fortuné, est-ce qu'il peut demeurer avec nous quelque temps?

Finalement, le pasteur a levé les yeux sur moi.

— Opal, qu'est-ce que tu racontes?

— J'ai trouvé un chien. Et je veux le garder.

— Pas question! a répliqué le pasteur. On en a déjà discuté. Tu n'as pas besoin de chien.

— Je sais. Je sais que je n'ai pas besoin de chien, mais ce chien a besoin de moi. Regarde, ai-je ajouté, avant de me diriger vers la porte de la maison et d'appeler :

— Winn-Dixie!

Winn-Dixie a dressé les oreilles et a souri puis a éternué; il a ensuite gravi les marches en boitillant, a franchi la porte et est venu poser la tête sur les genoux du pasteur, juste sur une pile de papiers.

Le pasteur l'a observé. Il a regardé ses côtes, ses poils emmêlés et ses plaques chauves, puis il a plissé le nez. Comme je vous l'ai dit, le chien dégageait une horrible odeur.

Winn-Dixie a regardé le pasteur, il a retroussé les babines, lui a montré toutes ses dents jaunes de travers et a remué la queue tellement fort qu'il a fait tomber des papiers de la table. Puis il a éternué, faisant s'envoler d'autres papiers, qui ont atterri sur le plancher.

— Comment as-tu appelé ce chien? a demandé le pasteur.

— Winn-Dixie, ai-je murmuré.

J'avais peur de parler trop fort. Je voyais bien que Winn-Dixie faisait bonne impression sur le pasteur. Il le faisait sortir de sa carapace.

— Bon... c'est un chien errant, a déclaré le pasteur. Un moins fortuné que nous, ça c'est sûr, a-t-il ajouté après avoir posé son crayon et gratté Winn-Dixie derrière les oreilles. Cherches-tu un foyer? a-t-il doucement murmuré à Winn-Dixie.

Winn-Dixie a remué la queue.

— Eh bien! a ajouté le pasteur, je crois que tu en as trouvé un.

Chapitre trois

Je me suis tout de suite attaquée au grand nettoyage de Winn-Dixie. Tout d'abord, je lui ai donné un bain. J'ai utilisé le tuyau d'arrosage du jardin et du shampoing pour bébé. Il s'est tenu tranquille, mais je pouvais voir qu'il n'aimait pas ça. Il avait l'air insulté et, durant tout ce temps, il n'a pas une seule fois montré les dents ni remué la queue. Après ce grand nettoyage, je l'ai brossé avec ma propre brosse à cheveux. Il m'a donné du fil à retordre avec les nœuds et les touffes de poils emmêlés, mais il n'a pas bronché. Il remuait le dos, comme si cela lui faisait vraiment du bien.

Pendant tout le temps, je lui ai parlé et il m'a écoutée. Je lui ai fait remarquer que nous nous ressemblions.

— Tu vois, comme moi, tu n'as pas de famille. Bien sûr, j'ai le pasteur, mais je n'ai pas de maman. Bon, j'en ai une, mais je ne sais pas où elle est. Elle est partie lorsque j'avais trois ans. Et je parie que toi non plus, tu ne te souviens pas très bien de ta maman. Alors, on est presque comme des orphelins.

Pendant mon discours, Winn-Dixie me regardait droit dans les yeux, comme s'il se sentait soulagé de rencontrer enfin quelqu'un qui le comprenne. J'ai hoché la tête en le regardant et j'ai continué à lui parler.

— Je n'ai même pas d'amis, car j'ai perdu les miens lorsque nous avons déménagé de Watley pour venir nous installer ici, à Naomi. Watley se trouve dans le nord de la Floride. Es-tu déjà allé là-bas?

Winn-Dixie a regardé le sol, comme s'il essayait de se souvenir s'il y était allé.

— Tu sais quoi? ai-je poursuivi. Depuis que nous nous sommes installés ici, j'ai beaucoup beaucoup pensé à ma maman, bien plus souvent qu'à Watley.

Winn-Dixie a remué les oreilles et a relevé les sourcils.

— Je crois que le pasteur pense aussi tout le temps à maman. Il l'aime encore; je le sais parce que j'ai entendu des femmes parler de lui, à l'église de Watley. Elles ont dit qu'il espérait toujours son retour. Mais ça, il ne me le dit pas. Il ne me parle jamais de maman. J'aimerais en savoir plus sur elle, mais j'ai peur de demander au pasteur. J'ai peur qu'il se fâche.

Winn-Dixie me fixait attentivement, comme s'il essayait de me dire quelque chose.

— Quoi? ai-je dit.

Il m'a dévisagée.

— Tu crois que je devrais demander au pasteur de me parler d'elle?

Winn-Dixie m'a fixée avec une telle intensité qu'il en a éternué.

— Je vais y réfléchir, ai-je ajouté.

Une fois son toilettage terminé, Winn-Dixie avait bien meilleure apparence. Il avait toujours ses plaques chauves, mais son poil était doux et brillant. On pouvait encore lui voir les côtes, mais j'avais l'intention de bien le nourrir pour régler ce problème. Je n'ai rien pu faire avec ses dents jaunes, car il se mettait à éternuer chaque fois que je tentais de lui brosser les dents; alors, j'ai fini par abandonner. Mais, dans l'ensemble, comme il avait bien meilleure allure, je l'ai emmené dans la maison pour le montrer au pasteur.

— Papa!

— Mouiii...

Il préparait un sermon et marmonnait entre ses dents.

— Papa, je voulais te montrer le nouveau Winn-Dixie.

Le pasteur a posé son crayon et s'est frotté le nez, puis a finalement levé les yeux.

— Eh bien! s'est-il exclamé en adressant un large

sourire à Winn-Dixie. Tu es vraiment beau, maintenant!

Winn-Dixie lui a rendu son sourire, puis il s'est avancé et a posé la tête sur ses genoux.

— Il sent bon aussi, a ajouté le pasteur en caressant la tête de Winn-Dixie et en le regardant dans les yeux.

— Papa, ai-je ajouté très vite avant de perdre mon courage, j'ai eu une conversation avec Winn-Dixie.

— Vraiment? a répliqué le pasteur en grattant la tête de Winn-Dixie.

Winn-Dixie me fixait, comme s'il essayait de dire quelque chose.

— J'ai parlé avec lui et il est d'accord avec moi : puisque j'ai dix ans, tu devrais me raconter dix choses sur maman. Juste dix choses, c'est tout.

Le pasteur a cessé de caresser la tête de Winn-Dixie et s'est raidi. Je voyais bien qu'il avait envie de rentrer dans sa carapace.

— Une chose pour chaque année de ma vie, ai-je insisté. S'il te plaît!

Winn-Dixie a regardé le pasteur et lui a donné un coup de museau.

— J'aurais dû deviner que tu allais nous apporter des ennuis! a-t-il lancé à Winn-Dixie.

Puis, se tournant vers moi, il a ajouté :

— Allez, viens t'asseoir, Opal. Je vais te raconter dix choses sur ta maman.

Chapitre quatre

Nous étions assis sur le canapé, Winn-Dixie blotti entre nous deux. Il avait déjà décidé que c'était son lieu de repos préféré.

— Un, a commencé le pasteur, sous le regard fixe de Winn-Dixie, ta maman était très drôle. Elle pouvait faire rire n'importe qui. Deux, elle avait les cheveux roux et des taches de rousseur.

— Exactement comme moi, ai-je commenté.

— Exactement comme toi, a confirmé le pasteur. Trois, elle aimait jardiner. Elle avait le pouce vert. Elle aurait pu planter un pneu dans le sol et faire pousser une auto.

Winn-Dixie s'est mis à se mordiller la patte; je lui ai

donné une petite tape sur la tête pour qu'il arrête.

— Quatre, a poursuivi le pasteur, elle courait très vite. Lorsqu'on faisait une course avec elle, on ne pouvait jamais lui accorder une longueur d'avance, car elle battait tout le monde à plate couture.

— Je suis comme ça aussi, ai-je fait remarquer. Lorsque nous étions à Watley, j'ai fait une course avec Liam Fullerton et je l'ai battu; mais il a dit que ce n'était pas juste parce que, pour commencer, les gars et les filles ne doivent pas courir ensemble. Je lui ai répondu qu'il était juste un mauvais perdant.

Le pasteur a hoché la tête. Il est demeuré pensif pendant une minute.

— Je suis prête pour le numéro cinq, lui ai-je dit.

— Cinq, elle ne savait pas cuisiner. Elle faisait tout brûler, même l'eau. Elle avait même de la difficulté à ouvrir une boîte de conserve. Elle n'y connaissait rien non plus en viandes. Six... a-t-il poursuivi en se frottant le nez et en levant les yeux au plafond, imité par Winn-

Dixie. Numéro six, ta maman aimait bien les histoires. Elle pouvait rester assise pendant des heures à écouter des histoires. Surtout les histoires drôles, celles qui la faisaient rire.

Le pasteur hochait la tête, comme s'il approuvait ses propres paroles.

— C'est quoi le numéro sept? ai-je demandé.

— Attends un peu... Elle connaissait toutes les constellations, toutes les planètes qu'on peut admirer la nuit dans le ciel. Je t'assure. Elle pouvait toutes les nommer et indiquer où elles se trouvaient. Et elle ne se fatiguait jamais de les regarder. Numéro huit, a dit le pasteur, les yeux fermés, elle détestait être la femme d'un pasteur. Elle disait qu'elle ne pouvait pas supporter que les femmes de l'église jugent ce qu'elle portait et ce qu'elle cuisinait, et comment elle chantait. Elle avait l'impression d'être un insecte sous un microscope.

Winn-Dixie s'est allongé sur le canapé, le nez posé

sur les genoux du pasteur et la queue immobile sur mes genoux.

— Dix, a poursuivi le pasteur.

— Neuf, ai-je corrigé.

— Neuf, a-t-il repris, elle buvait. Elle buvait de la bière. Et du whisky et du vin. Parfois, elle ne pouvait pas s'arrêter de boire. Et ça provoquait de nombreuses querelles entre nous. Numéro dix, a-t-il ajouté avec un profond soupir, numéro dix, ta maman t'aimait beaucoup. Elle t'adorait.

— Mais elle m'a quittée, ai-je répliqué.

— Elle nous a quittés, a murmuré le pasteur.

Je voyais bien qu'il allait rentrer dans sa stupide carapace de tortue.

— Elle a fait ses valises et est partie, a-t-il ajouté, et elle n'a absolument rien laissé derrière elle.

— Bon, ai-je fait, avant de me lever du canapé, imitée par Winn-Dixie. Merci de m'avoir parlé de maman.

Je me suis précipitée dans ma chambre et j'ai écrit dans un cahier les dix choses que le pasteur m'avait racontées. J'ai copié exactement ses paroles afin de ne pas les oublier, puis je les ai relues à haute voix à Winn-Dixie jusqu'à ce que je m'en souvienne. Je voulais savoir ces dix choses par cœur. Comme ça, si maman revenait, je pourrais la reconnaître et me jeter à son cou, et la serrer très fort pour qu'elle ne me quitte plus jamais.

Chapitre cinq

Winn-Dixie ne pouvait pas supporter de rester seul, ce que nous avons rapidement découvert. Lorsque nous le laissions seul dans la maison, il faisait tomber par terre tous les coussins du canapé et vidait tout le rouleau de papier de toilette. Nous avons donc décidé de l'attacher à l'extérieur avec une corde lorsque nous sortions. Cela n'a pas marché non plus. Winn-Dixie hurlait jusqu'à ce que Samuel, le chien de Mme Detweller, l'imite. C'est précisément le genre de bruit que les gens d'un parc de maisons mobiles réservé aux adultes n'aiment pas entendre.

— Il ne veut tout simplement pas rester seul, ai-je expliqué au pasteur. Alors, emmenons-le avec nous.

Je pouvais comprendre ce que ressentait Winn-Dixie. Il se sentait probablement le cœur vide quand on l'abandonnait.

Au bout d'un certain temps, le pasteur a fini par céder. Ainsi, où que nous allions, nous emmenions Winn-Dixie. Même à l'église.

L'église baptiste Open Arms de Naomi n'est pas une église ordinaire. L'édifice est un ancien dépanneur Pick-It-Quick et, lorsqu'on franchit la porte d'entrée, la première chose qu'on voit, c'est la devise du magasin. Sur le plancher est inscrit en très grosses lettres faites de petites tuiles rouges : PICK PICK PICK QUICK QUICK QUICK. Le pasteur a essayé de dissimuler les lettres en peignant les tuiles, mais elles sont réapparues, alors il a fini par laisser tomber.

L'autre chose qui démarque l'église Open Arms des autres églises, c'est qu'il n'y a pas de bancs. Les fidèles apportent leurs propres chaises pliantes; on dirait parfois que la congrégation assiste à une parade ou à une fête en plein air plutôt qu'à un office religieux. Comme c'est une église pas ordinaire, j'ai pensé que Winn-Dixie s'y sentirait parfaitement à l'aise.

Mais la première fois que nous avons emmené Winn-Dixie à l'église, le pasteur l'a attaché à l'extérieur, près de la porte d'entrée.

— Mais pourquoi l'avoir amené jusqu'ici si c'est pour l'attacher? ai-je protesté.

— Parce que l'église n'est pas un endroit pour les chiens, Opal, a répondu le pasteur.

Il a donc attaché Winn-Dixie à un arbre, en faisant remarquer qu'il serait bien au frais à l'ombre et que tout se passerait bien.

Eh bien! cela n'a pas été le cas! L'office a commencé, et on a chanté et prié ensemble, puis le pasteur a entamé son sermon. Il n'avait pas prononcé plus de trois mots lorsqu'on a entendu un horrible hurlement à l'extérieur.

Le pasteur a essayé de l'ignorer.

— Aujourd'hui, a-t-il commencé.

— *Ahououou!* a hurlé Winn-Dixie.

— S'il vous plaît, a dit le pasteur.

— *Ahououou!* a rétorqué Winn-Dixie.

— Mes amis, a continué le pasteur.

— *Ahououou!* s'est lamenté Winn-Dixie.

Tous les fidèles assis sur leurs chaises pliantes se sont regardés.

— Opal, a dit le pasteur.

— *Ahououou!* a hurlé Winn-Dixie.

— Oui, m'sieur? ai-je répondu.

— Va chercher ce chien! a-t-il crié.

— Oui, m'sieur! ai-je crié à mon tour.

Je suis sortie, j'ai détaché Winn-Dixie et je l'ai amené à l'intérieur; il s'est assis derrière moi et a souri au pasteur, qui n'a pas pu s'empêcher de sourire à son tour. C'était l'effet que lui faisait Winn-Dixie.

Le pasteur a alors repris son sermon. Winn-Dixie est demeuré assis à l'écouter, en remuant les oreilles d'un côté et de l'autre afin de saisir tous les mots. Et tout aurait continué à bien se dérouler si une souris n'avait pas fait son apparition.

Il y avait des souris dans l'église Open Arms. Elles avaient élu domicile dans l'ancien dépanneur Pick-It-Quick qui regorgeait de bonnes choses à manger et, lorsque le magasin avait été transformé en église, les souris étaient restées et se nourrissaient des miettes des soupers de la paroisse. Le pasteur ne cessait de répéter qu'il allait devoir régler le problème, mais il n'avait jamais rien fait. Car, en vérité, il ne pouvait pas supporter de faire du mal à une mouche, ni même à une souris.

Toujours est-il que, lorsque Winn-Dixie a vu la souris, il s'est lancé à sa poursuite. Une minute plus tôt, il régnait un grand silence dans l'église pendant que le pasteur déclamait son sermon et, tout à coup, Winn-Dixie s'était métamorphosé en fusée, courant à toutes jambes après la souris en aboyant. Ses pattes glissaient sur le plancher verni du Pick-It-Quick, mais il repartait de plus belle, déclenchant les applaudissements des fidèles, qui l'encourageaient ou le pointaient du doigt. L'excitation de la foule est parvenue à son comble lorsque Winn-Dixie a finalement attrapé la souris.

— Je n'ai jamais vu de ma vie un chien attraper une souris! s'est exclamée Mme Nordley, qui était assise à côté de moi.

— Ce n'est pas un chien ordinaire, lui ai-je fait remarquer.

— J'imagine, a-t-elle répliqué.

Winn-Dixie se tenait devant toute l'assemblée, remuant la queue et tenant fermement la souris dans sa gueule en prenant soin de ne pas l'écraser.

— Je crois que ce chien a du retriever en lui, a dit quelqu'un derrière moi. C'est un chien de chasse.

Winn-Dixie s'est approché du pasteur et a déposé la souris à ses pieds. Lorsqu'elle a tenté de s'échapper, il l'a retenue en plaquant la patte sur sa queue. Puis il a souri de toutes ses dents. Le pasteur a baissé les yeux sur la souris. Il a regardé Winn-Dixie, puis m'a regardée et s'est frotté le nez. Un grand silence régnait dans l'ancien magasin Pick-It-Quick.

— Prions ensemble, a finalement annoncé le pasteur, pour cette souris.

Et tout le monde s'est mis à rire et à applaudir. Le pasteur a ramassé la souris par la queue et s'est dirigé jusqu'à la porte d'entrée du Pick-It-Quick, d'où il l'a jetée dehors. Les applaudissements ont redoublé.

Il est ensuite revenu et nous avons tous prié ensemble. J'ai prié pour maman. J'ai dit à Dieu combien elle aurait aimé l'histoire de Winn-Dixie attrapant cette souris. Cela l'aurait bien fait rire. J'ai demandé à Dieu si je pouvais être celle qui, un jour, lui raconterait cette histoire.

J'ai ensuite raconté à Dieu à quel point je me sentais seule à Naomi, car je ne connaissais pas beaucoup d'enfants, seulement ceux de l'église. Et il n'y avait pas beaucoup d'enfants à l'église, juste Dunlap et Stevie Dewberry, deux frères qui se ressemblaient comme deux gouttes d'eau, mais qui n'étaient pas jumeaux. Et Amanda Wilkinson, qui avait toujours l'air pincé, comme si quelque chose sentait très mauvais. Il y avait aussi Sweetie Pie Thomas, mais elle n'avait que cinq ans et ce n'était encore qu'un bébé. De toute façon, aucun d'eux ne voulait être mon ami, car ils s'imaginaient probablement que j'allais rapporter toutes leurs mauvaises actions au pasteur; ils auraient alors des ennuis avec Dieu et avec leurs parents. Alors, j'ai dit à Dieu que je me sentais seule, même avec Winn-Dixie.

Enfin, j'ai prié pour la souris, comme l'avait conseillé le pasteur. J'ai prié qu'elle ne se soit pas fait mal lorsqu'elle avait volé dans les airs, à la porte d'entrée de l'église baptiste Open Arms de Naomi. J'ai prié pour qu'elle ait atterri sur un doux carré de pelouse.

Chapitre six

Cet été-là, j'ai passé beaucoup de temps à la bibliothèque Herman W. Block Memorial. Malgré son nom impressionnant, c'est une bibliothèque très ordinaire, juste une petite maison ancienne, pleine de livres, qui est dirigée par Mlle Franny Block. Franny Block est une vieille dame toute menue, aux cheveux courts gris. C'est d'ailleurs la première amie que je me suis faite à Naomi.

Tout a commencé parce que Winn-Dixie n'aimait pas que j'aille à la bibliothèque, car il ne pouvait pas y entrer. Mais je lui ai montré comment il pouvait se tenir sur ses pattes de derrière, près de la fenêtre, et me regarder à l'intérieur pendant que je choisissais des livres. Tout allait bien, tant et aussi longtemps qu'il pouvait me voir. La première fois que Mlle Franny a vu Winn-Dixie sur ses pattes de derrière, regardant par la fenêtre, elle n'a pas réalisé que c'était un chien. Elle a cru que c'était un ours.

Voici ce qui est arrivé : je ramassais mes livres et chantonnais doucement lorsque, tout à coup, j'ai entendu un grand cri effrayant. J'ai couru à l'avant de la bibliothèque et j'ai vu Mlle Franny assise par terre, derrière son bureau.

— Mademoiselle Franny! ai-je fait. Est-ce que ça va?

— Un ours! s'est-elle exclamée.

— Un ours?

— Il est revenu!

— Vraiment, ai-je répliqué. Où est-il?

— Là, dehors, a-t-elle murmuré en pointant le doigt en direction de Winn-Dixie qui se tenait sur ses pattes de derrière devant la fenêtre, me cherchant des yeux.

— Mademoiselle Franny, ce n'est pas un ours. C'est

un chien. C'est mon chien, Winn-Dixie.

— Tu es sûre?

— Oui, absolument certaine. C'est mon chien. Je le reconnaîtrais n'importe où.

Mlle Franny était recroquevillée sur le plancher, tremblant de tous ses membres.

— Allez. Laissez-moi vous aider à vous relever. Tout va bien.

Je lui ai tendu la main. Elle était légère comme une plume. Une fois debout, elle était très gênée, disant que je devais la prendre pour une pauvre petite vieille qui perdait la boule, prenant un chien pour un ours. En fait, c'était parce qu'elle avait eu une mauvaise expérience avec un ours, il y a très longtemps, ici même, dans cette bibliothèque, et qu'elle ne s'en était jamais remise.

— Quand est-ce que c'est arrivé? lui ai-je demandé.

— Eh bien! a répondu Mlle Franny, c'est une très longue histoire!

— Ah bon! ai-je dit. Justement, je suis comme ma maman, j'adore qu'on me raconte des histoires. Mais avant que vous commenciez, est-ce que je peux faire entrer Winn-Dixie pour qu'il puisse écouter aussi? Il se sent seul sans moi.

— Euh, je ne sais pas, a-t-elle répliqué. Les chiens sont interdits dans cette bibliothèque.

— Il se tiendra bien, ai-je ajouté. C'est un chien qui va à l'église.

Et sans attendre sa réponse, je suis sortie récupérer Winn-Dixie, qui est venu s'asseoir en poussant un soupir, juste aux pieds de Mlle Franny.

— C'est assurément un grand chien, a-t-elle déclaré après l'avoir observé.

— Ça, c'est vrai! ai-je lancé. Et il a aussi un grand cœur.

— Très bien, a dit Mlle Franny en se penchant pour donner une petite tape sur la tête de Winn-Dixie, qui s'est mis à remuer la queue et à sentir ses petits pieds de vieille dame. Je vais prendre une chaise pour m'asseoir confortablement et te raconter toute l'histoire.

Chapitre sept

— Il y a très longtemps, lorsque la Floride était une contrée sauvage, recouverte de palmiers et peuplée uniquement de moustiques tellement gros qu'ils pouvaient vous emporter, a commencé Mlle Franny, et que je n'étais qu'une petite fille pas plus grande que toi, mon père, Herman W. Block, m'a annoncé que je pouvais avoir ce que je voulais pour mon anniversaire. N'importe quoi.

Mlle Franny a balayé la bibliothèque du regard, puis s'est penchée vers moi.

— Je ne voudrais pas avoir l'air arrogante, mais mon père était très riche. Très, très riche, a-t-elle ajouté en hochant la tête. Et j'étais une petite fille qui adorait lire.

Alors, je lui ai dit : « Papa, j'aimerais beaucoup avoir une bibliothèque pour mon anniversaire; une petite bibliothèque me ferait vraiment plaisir. »

— Vous avez demandé toute une bibliothèque?

— Juste une petite, a poursuivi Mlle Franny en hochant la tête. Je rêvais d'avoir une petite maison remplie de livres, de livres que je voulais partager. Et mon vœu s'est réalisé. Mon père a fait construire cette bibliothèque, celle-là même dans laquelle tu es assise maintenant. Je suis ainsi devenue bibliothécaire à un très jeune âge. Eh oui!

— Et l'ours dans toute cette histoire? ai-je demandé.

— Ne t'ai-je pas déjà mentionné que la Floride était sauvage en ce temps-là?

— Oui, c'est ce que vous avez dit.

— C'était une contrée sauvage. Elle était peuplée d'hommes et de femmes primitifs, et d'animaux sauvages.

— Comme des ours!

— Exactement. Avant de poursuivre, je dois préciser que j'étais une fillette assez prétentieuse. Une mademoiselle-je-sais-tout, avec ma bibliothèque pleine de livres. Je pensais avoir les réponses à tout. Eh bien! par un jeudi très chaud, j'étais assise dans ma bibliothèque, avec toutes les fenêtres et les portes ouvertes, le nez plongé dans un livre, lorsqu'une ombre s'est dessinée sur mon bureau. Et sans lever les yeux, oui, je t'assure, sans lever les yeux, j'ai demandé : « Est-ce que vous cherchez un livre en particulier? » Je n'ai obtenu aucune réponse. Alors, j'ai pensé que ce devait être une femme ou un homme primitif, intimidé par tous ces livres et trop gêné pour parler. Mais lorsque j'ai commencé à sentir une drôle d'odeur, une odeur très forte, j'ai levé doucement les yeux. Et là, juste devant moi, se tenait un ours. Je t'assure. Un très grand ours.

— Grand comment? ai-je demandé.

— Eh bien! à peu près trois fois la taille de ton chien, a dit Mlle Franny.

— Et alors, qu'est-ce qui s'est passé?

— On s'est regardés. Il a levé le nez et s'est mis à humer l'air, comme s'il était en train de décider s'il allait ou non dévorer une mademoiselle-je-sais-tout. Et moi, je suis demeurée assise. Puis j'ai pensé que si cet ours avait l'intention de me dévorer, je n'allais pas me laisser faire. Sûrement pas. Alors, très doucement et avec une extrême précaution, j'ai soulevé le livre que j'étais en train de lire.

— C'était quel livre? ai-je demandé.

— C'était *Guerre et paix*, un très gros livre. Je l'ai soulevé lentement et, en visant soigneusement, je l'ai lancé sur l'ours et j'ai hurlé : « Va-t-en! » Et tu sais quoi?

— Non, madame, ai-je répondu.

— Il est parti. Mais il y a une chose que je n'oublierai jamais. Il a emporté le livre!

— Non!

— Je t'assure, a répliqué Mlle Franny. Il a pris le livre et est parti.

— Est-ce qu'il est revenu?

— Non, je ne l'ai jamais revu. Tous les hommes en ville me taquinaient à propos de cette histoire. Ils disaient : « Mademoiselle Franny, nous avons aperçu votre ours dans les bois. Il lisait le livre et il le trouvait tellement intéressant qu'il a demandé s'il pouvait le garder une semaine de plus. » Je t'assure. Ils se moquaient de moi, a-t-elle ajouté en soupirant. Je crois que je suis la seule de ces personnes encore de ce monde. Et sans doute, la seule qui se souvienne de cet ours. Tous mes amis, tous ceux que je connaissais quand j'étais jeune, sont morts.

Elle a poussé un autre soupir. Elle avait l'air triste et vieille et toute ridée. C'était le sentiment que j'éprouvais quelquefois, de me retrouver sans amis dans une nouvelle ville et de ne pas avoir de maman pour me réconforter. J'ai soupiré aussi.

Winn-Dixie a levé la tête et a regardé dans ma direction, puis vers Mlle Franny. Il s'est assis et a montré toutes ses dents à Mlle Franny.

— Regardez-moi ça, a-t-elle dit. Voilà que ce chien me sourit.

— C'est un de ses dons, ai-je commenté.

— Un très beau don, a répliqué Mlle Franny. Un très beau don, a-t-elle répété avant de lui rendre son sourire.

— Nous pourrions être amis, ai-je alors proposé à Mlle Franny. Je veux dire, vous et Winn-Dixie et moi, nous pourrions tous être amis.

Mlle Franny a souri de plus belle.

— Ce serait bien, a-t-elle répondu, très bien.

Et à la minute même où nous avons décidé d'être amis tous les trois, vous ne devinerez jamais qui est entrée dans la bibliothèque Herman W. Block. Nulle autre qu'Amanda Wilkinson, avec son air pincé. Elle s'est approchée du bureau de Mlle Franny.

— J'ai terminé *Johnny Tremain* et j'ai beaucoup aimé le livre, a-t-elle déclaré. J'aimerais un ouvrage plus difficile, cette fois, parce que je suis une lectrice très avancée.

— Oui, je sais, a dit Mlle Franny en se levant de sa chaise.

Amanda faisait comme si je n'étais pas là. Elle regardait dans ma direction, comme si j'étais transparente.

— Est ce que les chiens ont le droit d'entrer dans la bibliothèque? a-t-elle demandé à Mlle Franny tandis qu'elles s'éloignaient, toutes les deux.

— Certains l'ont, a expliqué Mlle Franny, quelques rares spécimens.

Puis elle s'est retournée et m'a fait un clin d'œil. Je lui ai souri à mon tour. Je venais de me faire ma première amie à Naomi, et personne n'allait me gâcher cela, pas même Amanda Wilkinson, avec son air pincé.

Chapitre huit

Les plaques chauves de Winn-Dixie avaient commencé à disparaître et le reste de son poil était maintenant doux et brillant; et il ne boitillait plus. On voyait bien qu'il était fier de son apparence, fier de ne plus ressembler à un chien errant. J'ai pensé qu'il avait avant tout besoin d'un collier et d'une laisse. Je l'ai donc emmené à l'animalerie Gertrude's Pets, qui était peuplée de poissons et de serpents, de souris et de lézards, de hamsters et de fournitures pour animaux; et j'ai trouvé un très beau collier de cuir rouge et une laisse assortie.

Comme Winn-Dixie n'avait pas le droit d'entrer dans le magasin (il y avait une grande pancarte

« INTERDIT AUX CHIENS » fixée à la porte), je lui ai montré le collier et la laisse de l'intérieur, par la vitrine. Winn-Dixie, qui se tenait debout à me regarder, a alors retroussé les babines pour me montrer ses dents, puis il a éternué et remué vivement la queue; je savais donc qu'il adorait cette laisse et ce collier qui, soit dit en passant, coûtaient très cher.

J'ai décidé d'expliquer ma situation à l'homme derrière le comptoir.

— Je n'ai pas assez d'argent de poche pour acheter un aussi beau modèle. Mais comme j'aime ce collier et cette laisse, et mon chien aussi, j'ai pensé que vous pourriez peut-être accepter des paiements échelonnés.

— Des paiements échelonnés? a demandé l'homme.

— Gertrude! a crié quelqu'un d'une voix nasillarde, vraiment irritante.

J'ai regardé autour de moi. C'était un perroquet. Il était assis sur le dessus de l'un des aquariums et me regardait droit dans les yeux.

— Des paiements échelonnés, ai-je répété, ignorant le perroquet. Vous savez, je vous promets de vous donner mon argent de poche chaque semaine et, en échange, vous me donnez le collier et la laisse maintenant.

— Je ne pense pas que ce soit possible, a répondu l'homme en secouant la tête. Non, la propriétaire ne serait pas contente.

Il a baissé les yeux sur son comptoir, fuyant mon regard. Il avait d'épais cheveux noirs, coiffés à la Elvis Presley, et il portait une plaquette d'identité sur laquelle était écrit « OTIS ».

— Ou je pourrais travailler pour vous, ai-je proposé. Je pourrais venir balayer le plancher et épousseter les étagères, et même sortir les poubelles. J'en suis tout à fait capable.

J'ai regardé autour de moi. Il y avait du sable, des graines de tournesol et de grosses boules de poussière qui jonchaient le plancher. On voyait bien que le magasin avait besoin d'un bon coup de balai.

— Euh, a-t-il marmonné en continuant à fixer son comptoir.

— Gertrude! a croassé de nouveau le perroquet.

— Vous pouvez me faire confiance, ai-je ajouté. Je viens de déménager ici, mais mon père est pasteur à l'église baptiste Open Arms de Naomi. Je suis donc quelqu'un d'honnête. Mais le seul problème, c'est Winn-Dixie, mon chien. Il faudrait que je l'emmène à l'intérieur parce que, si on se sépare trop longtemps, il se met à hurler comme un fou

— Gertrude n'aime pas les chiens, a dit Otis.

— C'est la propriétaire? ai-je demandé.

— Oui, euh... enfin, non, je veux dire...

Il a finalement levé les yeux et pointé le doigt vers l'aquarium.

— Cette Gertrude-là. Le perroquet, que j'ai nommé en l'honneur de la propriétaire.

— Gertrude est un bel oiseau! a hurlé le perroquet.

— Il se peut qu'il aime bien Winn-Dixie, ai-je fait remarquer à Otis. Tout le monde l'adore. Il pourrait entrer dans le magasin pour faire sa connaissance et, s'ils s'entendent bien, est-ce que je pourrais avoir le travail?

— Peut-être bien, a marmonné Otis, avant de baisser de nouveau les yeux sur son comptoir.

Je suis donc allée ouvrir la porte et Winn-Dixie est entré en trottinant dans le magasin.

— Chien! a hurlé Gertrude.

— Je le connais! lui a lancé Otis, clouant le bec au perroquet.

Gertrude s'est assise sur le bord de l'aquarium et a penché la tête d'un côté et de l'autre, fixant Winn-Dixie. Celui-ci se tenait droit et la dévisageait. Il bougeait à peine. Il ne remuait pas la queue, ne souriait pas, n'éternuait pas. Il se contentait de dévisager Gertrude, qui l'observait, elle aussi. Puis elle a déployé ses ailes, s'est envolée et a atterri sur la tête de Winn-Dixie.

— Chien! a-t-elle croassé.

Winn-Dixie a remué légèrement la queue; c'est alors qu'Otis a dit :

— Tu peux commencer lundi.

— Merci, ai-je répondu. Vous ne le regretterez pas.

En sortant du magasin, j'ai parlé à Winn-Dixie.

— Tu sais te faire des amis mieux que n'importe qui. Je parie que, si maman te connaissait, elle trouverait que tu es le chien le plus génial au monde.

Winn-Dixie me souriait et je lui souriais aussi. Nous ne regardions donc pas vraiment où nous allions, et c'est alors que nous nous sommes trouvés nez à nez avec Sweetie Pie Thomas. Elle regardait la vitrine de l'animalerie en suçant la jointure d'un de ses doigts.

Elle a retiré son doigt de sa bouche et m'a dévisagée de ses grands yeux ronds.

— Est-ce que l'oiseau s'est assis sur la tête de ton chien? a-t-elle demandé.

Elle portait une queue de cheval, agrémentée d'un

ruban rose, enfin, disons plutôt quelques touffes de cheveux retenus par un ruban.

— Oui, ai-je répondu.

— Je l'ai vu! s'est-elle écriée avant de hocher la tête et de remettre le doigt dans sa bouche, puis de le retirer très vite. J'ai vu ce chien à l'église aussi, a-t-elle ajouté. Il a attrapé une souris. Je voudrais avoir un chien comme lui, mais ma maman ne veut pas de chien. Elle dit que si je suis très sage, je pourrai avoir un poisson rouge ou un hamster. C'est ce qu'elle dit. Est-ce que je peux caresser ton chien?

— Bien sûr, ai-je dit.

Sweetie Pie Thomas a caressé la tête de Winn-Dixie si longtemps et avec une telle concentration que les yeux du chien se sont à moitié fermés et que de la bave est apparue au coin de sa bouche.

— Je vais avoir six ans en septembre. Il va falloir que j'arrête de sucer mon doigt quand j'aurai six ans, a-t-elle ajouté. Je vais faire une fête. Est-ce que tu veux venir à ma fête? Tout le monde doit porter du rose.

— Oui, merci, ai-je répondu.

— Est-ce que ton chien peut venir aussi?

— Bien sûr, ai-je répondu.

Tout à coup, j'ai senti mon cœur se gonfler de joie. J'avais un chien. J'avais un travail. J'avais Mlle Franny comme amie. Et je venais de recevoir ma première invitation à une fête à Naomi. Cela m'était égal qu'elle vienne d'une fille de cinq ans et que la fête n'ait lieu qu'en septembre. L'important, c'était que je ne me sentais plus seule.

Chapitre neuf

Tout ce qui m'est arrivé cet été-là s'est produit grâce à Winn-Dixie. Par exemple, sans lui, je n'aurais jamais rencontré Gloria Dump. C'est lui qui me l'a fait connaître.

Voici ce qui s'est passé : je rentrais à la maison à bicyclette après mon travail à l'animalerie Gertrude's Pets, et Winn-Dixie courait à mes côtés. Nous sommes passés devant la maison de Dunlap et Stevie Dewberry, qui m'ont vue et ont enfourché leur bicyclette et se sont mis à me suivre. Ils n'ont pas tenté de me rejoindre. Ils ont gardé leur distance et ont chuchoté des choses que je ne pouvais pas entendre. Ils n'avaient aucun poil sur le caillou, car leur mère leur rasait la tête toutes les semaines durant l'été, parce qu'une fois, ils avaient attrapé des poux de leur chat, Sadie. Ils ressemblaient à des bébés chauves identiques, même s'ils n'étaient pas jumeaux. Dunlap avait dix ans, comme moi, et Stevie, neuf ans, mais il était grand pour son âge.

— Je vous entends! leur ai-je crié. J'entends ce que vous dites, ai-je ajouté, même si ce n'était pas vrai.

Winn-Dixie s'est mis à courir à toute vitesse devant moi.

— Tu devrais faire attention! a lancé Dunlap. Ce chien se dirige tout droit vers la maison de la sorcière.

— Winn-Dixie! ai-je appelé, mais il a continué à courir plus vite et a sauté par-dessus la porte d'une clôture, avant de s'enfoncer dans l'épaisse végétation d'une cour laissée à l'abandon. On aurait dit une jungle.

— Tu ferais bien de sortir ton chien de là, a prévenu Dunlap.

— La sorcière va le dévorer, a renchéri Stevie.

— Taisez-vous! ai-je répliqué.

Je suis descendue de ma bicyclette et je me suis dirigée vers la porte, d'où j'ai appelé Winn-Dixie.

— Tu ferais bien de sortir de là tout de suite! ai-je crié.

Mais il n'a pas réapparu.

— La sorcière est probablement en train de le dévorer! a lancé Stevie, qui se tenait derrière moi, avec son frère. Elle mange des chiens tout le temps.

— Fichez le camp, les bébés chauves! ai-je menacé.

— Hé! Ce n'est pas une façon de parler pour une fille de pasteur! a rétorqué Stevie, qui, comme son frère, avait reculé légèrement.

Je suis restée là à réfléchir un instant. J'ai compris soudain que j'avais plus peur de perdre Winn-Dixie que d'affronter une sorcière mangeuse de chiens. J'ai donc ouvert la porte de la clôture et j'ai pénétré dans la cour.

— Cette sorcière va manger Winn-Dixie pour dîner, et toi comme dessert! a lancé Stevie.

— Nous raconterons ce qui t'est arrivé au pasteur!

a crié Dunlap.

J'étais déjà parvenue au cœur de la jungle. Toutes sortes de plantes poussaient dans cet endroit. Des fleurs, des légumes, des arbres et de la vigne.

— Winn-Dixie? ai-je appelé.

— Hi! hi! hi! ai-je entendu. Ce chien adore manger, c'est sûr.

J'ai fait le tour d'un très gros arbre recouvert de mousse, et c'est là que j'ai trouvé Winn-Dixie. Il mangeait quelque chose dans la main de la sorcière, qui s'est tournée vers moi.

— Ce chien adore le beurre d'arachides, a-t-elle dit. On peut toujours faire confiance à un chien qui aime le beurre d'arachides.

C'était une vieille femme, à la peau brune très ridée. Elle portait un grand chapeau à fleurs et elle n'avait pas de dents, mais elle n'avait pas l'air d'une sorcière. Elle avait l'air gentille, et je voyais bien que Winn-Dixie l'aimait bien.

— Je m'excuse qu'il soit entré dans votre jardin.

— Ne t'excuse pas, a-t-elle répliqué. J'aime avoir de la compagnie.

— Je m'appelle Opal.

— Et moi, Gloria Dump. Dump, ce n'est pas très beau comme nom, hein? a-t-elle ajouté.

— Moi, mon nom de famille, c'est Boloni. Parfois, à l'école, on m'appelle « sandwich » pour se moquer de moi.

— Ha! ha! s'est esclaffée Gloria. Et ton chien? Comment s'appelle-t-il?

— Winn-Dixie, ai-je répondu.

Winn-Dixie a donné un coup de queue sur le sol. Il a essayé de sourire, mais c'était difficile avec la bouche pleine de beurre d'arachides.

— Winn-Dixie? Tu veux dire comme le magasin? a demandé Gloria.

— Exactement, ai-je dit.

— Ça alors! s'est-elle exclamée. Ça mérite une médaille pour l'originalité, tu ne trouves pas?

— C'est vrai.

— J'étais en train de me faire un sandwich. Tu en veux un? a-t-elle proposé.

— Je veux bien, ai-je répondu. S'il vous plaît.

— Alors, viens t'asseoir, a-t-elle dit en montrant une chaise de jardin au dossier tout abîmé. Mais assieds-toi doucement.

Je me suis assise avec précaution et Gloria m'a préparé un sandwich au beurre d'arachides avec du pain blanc.

Elle s'en est préparé un autre et a mis son dentier pour le manger.

— Tu sais, je n'ai pas de très bons yeux, a-t-elle déclaré après avoir terminé son sandwich. En fait, je vois flou, je ne vois les choses que dans leur forme générale. Il faut donc que je me fie à mon cœur. J'aimerais que tu me parles de toi, pour que je puisse te voir avec mon cœur.

Et puisque Winn-Dixie la regardait comme si elle était la septième merveille du monde, que le sandwich au beurre d'arachides était délicieux et que j'attendais depuis longtemps de pouvoir me confier à quelqu'un, j'ai obéi.

Chapitre dix

J'ai tout raconté à Gloria. Je lui ai raconté que le pasteur et moi venions de nous installer à Naomi et que j'avais dû me séparer de tous mes amis. Je lui ai raconté que ma maman nous avait quittés et je lui ai énuméré les dix choses que je savais d'elle. Je lui ai expliqué qu'ici, à Naomi, je m'ennuyais de ma maman plus qu'avant à Watley. Je lui ai raconté comment le pasteur ressemblait à une tortue qui s'enferme tout le temps dans sa carapace. Je lui ai raconté comment j'avais trouvé Winn-Dixie au supermarché et comment, grâce à lui, j'étais devenue amie avec Mlle Franny Block. Comment j'avais trouvé un travail en compagnie d'un homme qui s'appelait Otis à l'animalerie

Gertrude's Pets, et que j'avais été invitée à la fête d'anniversaire de Sweetie Pie Thomas. J'ai même raconté à Gloria que Dunlap et Stevie Dewberry la traitaient de sorcière. Mais j'ai ajouté que c'étaient des garçons chauves stupides et méchants, et que je ne les avais pas crus, en tout cas pas longtemps.

Pendant tout le temps que je parlais, Gloria n'a pas cessé de m'écouter. Elle hochait la tête et souriait, ou fronçait les sourcils en disant « Vraiment? » ou « Je vois ».

Je sentais qu'elle écoutait avec tout son cœur, et cela me faisait du bien.

— Eh bien! tu sais quoi? a-t-elle dit, à la fin de mon récit.

— Quoi?

— Tu as probablement hérité d'autres choses de ta maman que ses cheveux roux et ses taches de rousseur, et de son don pour la course.

— Ah oui? Comme quoi? ai-je demandé

— Il se peut que tu aies hérité de son pouce vert.

Nous pourrions planter quelque chose, toutes les deux, et voir comment ça pousse. Ce serait comme un test.

— D'accord, ai-je répondu.

En fait, c'est un arbre que Gloria a choisi pour moi. Du moins, c'est ce qu'elle a affirmé. Pour moi, cela avait davantage l'air d'une plante. Elle m'a fait creuser un trou, dans lequel on l'a posé; puis on a tassé de la terre tout autour, comme si c'était un bébé qu'on bordait dans son lit.

— C'est quel genre d'arbre? ai-je demandé à Gloria.

— C'est un arbre-surprise, a-t-elle répondu.

— Qu'est-ce que ça veut dire?

— Ça veut dire qu'il faut attendre qu'il grandisse pour savoir ce que c'est.

— Est-ce que je peux revenir voir demain? ai-je demandé.

— Ma petite, a-t-elle répliqué, tant que ceci demeure mon jardin, tu es la bienvenue ici. Mais l'arbre n'aura pas beaucoup changé d'ici demain.

— Mais je veux venir vous voir aussi.

— Ah bon! a dit Gloria. Tu sais, je ne bouge pas de chez moi. Je serai là.

J'ai alors réveillé Winn-Dixie. Il avait du beurre d'arachides sur les babines, et il n'arrêtait pas de bâiller et de s'étirer. Avant notre départ, il a léché la main de Gloria et moi, je l'ai remerciée.

Ce soir-là, lorsque le pasteur est venu me border, je lui ai raconté comment j'avais obtenu un travail à l'animalerie Gertrude's Pets, comment j'étais devenue amie avec Mlle Franny et comment j'avais été invitée à la fête de Sweetie Pie Thomas; et aussi comment j'avais fait la connaissance de Gloria Dump. Winn-Dixie était couché sur le plancher, attendant que le pasteur s'en aille pour sauter sur le lit, comme il en avait l'habitude.

Lorsque j'ai terminé mon récit, le pasteur m'a embrassée et m'a souhaité bonne nuit, puis il s'est penché presque jusqu'à terre pour donner aussi un baiser à Winn-Dixie, sur le dessus de sa tête.

— Tu peux monter maintenant, a-t-il dit à Winn-Dixie.

Winn-Dixie a regardé le pasteur. Il ne lui a pas souri, mais a ouvert la bouche toute grande, comme s'il riait, comme si le pasteur venait de lui raconter l'histoire la plus drôle du monde. Mais ce qui m'a le plus étonnée, c'est que le pasteur a ri à son tour. Winn-Dixie a sauté sur le lit, puis le pasteur s'est levé et a éteint la lumière. Je me suis penchée sur Winn-Dixie pour l'embrasser moi aussi, sur le bout du nez, mais il n'a rien remarqué, car il ronflait déjà.

Chapitre onze

Cette nuit-là, un gros orage a éclaté. Mais ce n'est pas le tonnerre et les éclairs qui m'ont réveillée. C'est Winn-Dixie, qui gémissait et se frappait la tête contre la porte de ma chambre.

— Winn-Dixie, ai-je appelé, qu'est-ce qui se passe?

Il m'a complètement ignorée et a continué à se frapper la tête contre la porte en gémissant. Je me suis levée et j'ai mis la main sur sa tête; il tremblait tellement fort que j'ai pris peur. Je me suis agenouillée et l'ai serré dans mes bras, mais il ne m'a ni regardée ni souri, et il n'a ni éternué, ni remué la queue, ni fait aucun de ses gestes habituels; il a simplement continué à se frapper la tête contre la porte, à gémir et à trembler.

— Tu veux que j'ouvre la porte? C'est ça que tu veux? ai-je fait en me levant.

À peine avais-je ouvert la porte que Winn-Dixie s'est précipité dehors, comme s'il était poursuivi par un monstre dangereux.

— Winn-Dixie, ai-je soufflé, reviens ici!

Je ne voulais pas qu'il réveille le pasteur.

Mais c'était trop tard. Winn-Dixie avait déjà atteint l'autre extrémité de la maison, dans la chambre du pasteur. Je l'ai deviné lorsque j'ai entendu un bruit de ressorts provoqué par le saut de Winn-Dixie sur le lit, suivi d'une exclamation de surprise du pasteur. Tout cela n'a pas duré longtemps, car Winn-Dixie s'était déjà précipité hors de la chambre, haletant et courant comme un fou. J'ai tenté de l'attraper, mais il était trop rapide pour moi.

— Opal? a lancé le pasteur, qui se tenait à la porte de sa chambre, les cheveux en bataille et l'air perdu. Opal, qu'est-ce qui se passe?

— Je ne sais pas, ai-je répondu.

C'est alors qu'un énorme coup de tonnerre a éclaté, si fort qu'il a fait trembler toute la maison. Winn-Dixie est alors ressorti de ma chambre comme une fusée et a filé sous mes yeux dans l'autre direction.

— Attention, papa! ai-je crié.

Mais comme il n'était pas encore bien réveillé, il n'a pas réagi. Il est resté immobile et Winn-Dixie s'est jeté sur lui, comme une boule de bowling venant frapper la dernière quille encore debout. Et *boum!* ils se sont retrouvés tous deux à terre.

— Oh! oh! ai-je fait.

— Opal! a appelé le pasteur étendu à plat ventre, Winn-Dixie sur son dos, haletant et gémissant.

— Oui, m'sieur, ai-je répondu.

— Opal! a répété le pasteur.

— Oui, m'sieur, ai-je répété plus fort.

— Sais-tu ce qu'est une peur pathologique?

— Non, m'sieur.

Le pasteur a levé une main et s'est frotté le nez.

— Eh bien! a-t-il dit après un instant, c'est une peur bien plus forte que les peurs habituelles. C'est une peur qu'on ne peut pas contrôler et dont on ne peut pas se débarrasser.

C'est alors qu'un autre coup de tonnerre a éclaté. Winn-Dixie a littéralement bondi en l'air, comme si quelqu'un l'avait brûlé. Lorsqu'il est retombé sur ses pattes, il s'est mis à courir en direction de ma chambre. Je n'ai même pas essayé de l'arrêter; je me suis simplement écartée de sa trajectoire.

Le pasteur, qui était resté allongé sur le plancher à se frotter le nez, s'est finalement assis.

— Opal, je crois que Winn-Dixie a une peur pathologique des orages, a-t-il déclaré.

Et à peine avait-il terminé sa phrase que Winn-Dixie s'est remis à courir. J'ai aidé le pasteur à se relever et je l'ai écarté juste à temps de la trajectoire de Winn-Dixie.

Comme il n'y avait apparemment rien à faire pour

réconforter Winn-Dixie, terrorisé et haletant, nous sommes restés assis à observer son manège. À chaque nouveau coup de tonnerre, Winn-Dixie réagissait comme si le ciel allait lui tomber sur la tête.

— L'orage ne va pas durer bien longtemps, a déclaré le pasteur. Lorsque ce sera fini, nous retrouverons notre vrai Winn-Dixie.

Au bout d'un moment, l'orage s'est dissipé. La pluie a cessé; il n'y avait plus d'éclairs et, enfin, le dernier coup de tonnerre a retenti au loin. Winn-Dixie a arrêté de courir dans tous les sens. Il s'est approché de nous et a penché la tête, comme s'il voulait dire : « Mais qu'est-ce que vous faites debout tous les deux, en plein milieu de la nuit? »

Puis il a sauté sur le canapé pour s'allonger à côté de nous, en exécutant sa manœuvre habituelle, qui consiste à s'étendre petit à petit, mine de rien, en regardant dans l'autre direction, comme s'il se retrouvait dans cette position par hasard, sans avoir jamais eu l'intention de s'installer sur le canapé.

Nous nous sommes retrouvés assis tous les trois, côte à côte. J'ai frotté le dos de Winn-Dixie et l'arrière de ses oreilles, comme il aimait.

— En été, il y a énormément d'orages en Floride, a fait remarquer le pasteur.

— Oui, m'sieur, ai-je dit, craignant qu'il m'annonce qu'on ne pouvait plus garder un chien qui avait une peur pathologique des orages et devenait fou furieux au moindre coup de tonnerre.

— Il faudra que nous le surveillions de près, a déclaré le pasteur en plaçant son bras autour de Winn-Dixie. Nous devons prendre garde à ce qu'il ne sorte pas durant un orage, car il pourrait se sauver. Nous devons le protéger.

— Oui, m'sieur, ai-je répété.

J'avais tout à coup la gorge serrée par l'émotion. J'aimais tellement le pasteur. Je l'aimais parce qu'il aimait Winn-Dixie. Parce qu'il lui pardonnait d'avoir peur. Mais, par-dessus tout, je l'aimais parce qu'il avait posé son bras comme cela, autour de Winn-Dixie, comme s'il voulait déjà le protéger.

Chapitre douze

Mon premier jour de travail, Winn-Dixie et moi sommes arrivés tellement tôt à l'animalerie que la pancarte « FERMÉ » était encore affiché dans la vitrine. Mais, quand j'ai poussé la porte, elle s'est ouverte; alors, nous sommes entres. J'étais sur le point d'appeler Otis pour le prévenir de notre arrivée lorsque j'ai entendu de la musique. C'était la plus belle musique que j'avais jamais entendue. J'ai regardé autour de moi pour voir d'où elle provenait, et c'est alors que j'ai remarqué que tous les animaux étaient sortis de leur cage. Il y avait des lapins, des hamsters, des gerbilles et des souris, des oiseaux, des lézards et des serpents, et ils étaient tous immobiles sur le plancher, comme s'ils s'étaient transformés en pierre. Et Otis se tenait là, au milieu de cette ménagerie. Il jouait de la guitare et portait des bottes de cow-boy à bouts pointus, avec lesquelles il battait la mesure. Il avait les yeux fermés et il souriait.

Winn-Dixie a fixé Otis en souriant, les yeux rêveurs. Il a éternué et, les babines recouvertes de bave, il a soupiré et s'est affaissé sur le plancher, à côté des autres animaux. Gertrude l'a aperçu à ce moment-là.

— Chien! a-t-elle croassé, avant de s'envoler et d'atterrir sur sa tête.

Otis a alors levé les yeux vers moi et s'est arrêté de jouer, brisant l'atmosphère magique qui régnait dans la pièce. Les lapins se sont mis à sauter et les oiseaux à s'envoler, les lézards à sautiller et les serpents à ramper, et Winn-Dixie s'est mis à aboyer et à courir après tout ce qui bougeait. Et Otis a crié :

— À l'aide!

Pendant un moment qui m'a paru interminable,

Otis et moi avons couru dans tous les sens, essayant d'attraper les souris, les gerbilles et les hamsters, les serpents et les lézards. Nous n'arrêtions pas de nous rentrer dedans et de trébucher sur des animaux, pendant que Gertrude continuait à crier :

— Chien! Chien!

Chaque fois que j'attrapais un animal, je le déposais dans la cage la plus proche, que ce soit la bonne cage ou non, en claquant la porte. Et pendant toute cette poursuite, je me disais qu'Otis devait être une sorte de charmeur de serpents, vu la façon dont il pouvait transformer les animaux en statues de sel avec sa guitare. Puis, après un instant de réflexion, je me suis dit que cela n'avait pas de sens. Alors, pour me faire entendre malgré les aboiements de Winn-Dixie et les croassements de Gertrude, j'ai crié fort :

— Jouez encore, Otis!

Il m'a dévisagée un instant, puis s'est remis à jouer de sa guitare et, après quelques secondes, tout est redevenu calme. Winn-Dixie était couché sur plancher, clignant des yeux et souriant dans le vide, et éternuant de temps à autre; les souris, les gerbilles et les lapins, les lézards et les serpents que nous n'avions pas encore attrapés avaient cessé de courir. Je les ai pris, un à un, et les ai remis dans leurs cages.

Lorsque tout a été terminé, Otis a arrêté de jouer.

— Je leur jouais simplement un peu de musique, a-t-il dit en regardant ses bottes. Ça les rend heureux.

— Ça, c'est vrai, ai-je dit. Est-ce qu'ils s'étaient échappés de leur cage?

— Non, c'est moi qui les ai sortis, a-t-il répondu. Ça me fait pitié de les voir enfermés tout le temps. Je sais ce que c'est que d'être enfermé.

— Vraiment?

— J'ai fait de la prison, a lâché Otis en me jetant un regard furtif, avant de baisser de nouveau les yeux.

— Ah oui?

— Peu importe, a-t-il répliqué. N'es-tu pas là pour

balayer le plancher?

— Oui, m'sieur, ai-je répondu.

Il s'est avancé jusqu'au comptoir, s'est mis à fouiller dans une pile d'objets et est finalement revenu avec un balai.

— Voilà, fit-il. Tu devrais te mettre au travail, a-t-il ajouté en me tendant sa guitare au lieu du balai.

— Avec votre guitare? ai-je demandé.

Il a rougi et m'a tendu le balai. Je me suis mise à la tâche. Je balaie très bien. J'ai balayé tout le magasin, puis j'ai épousseté quelques étagères. Pendant tout le temps que je travaillais, Winn-Dixie me suivait, et Gertrude le suivait, lui, volant et se posant sur sa tête ou sur son dos, en croassant tout bas comme pour elle-même :

— Chien! Chien!

Une fois mon travail terminé, Otis m'a remerciée. J'ai quitté le magasin en pensant que le pasteur ne serait probablement pas très content d'apprendre que je travaillais pour un criminel.

Sweetie Pie Thomas m'attendait juste devant le magasin.

— J'ai tout vu! s'est-elle exclamée, avant de se mettre à sucer son doigt en me fixant.

— Vu quoi? ai-je demandé.

— J'ai vu tous les animaux sortis de leur cage qui ne bougeaient pas. Est-ce que le monsieur est un magicien?

— En quelque sorte.

— Comme ce chien du supermarché? a-t-elle ajouté après avoir pris Winn-Dixie par le cou.

— C'est ça, ai-je répliqué.

J'ai commencé à marcher, et Sweetie Pie Thomas a retiré son doigt de sa bouche et m'a pris la main.

— Viendras-tu à ma fête d'anniversaire? a-t-elle demandé.

— Bien sûr, ai-je répondu.

— Tout le monde doit porter du rose.

— Je sais.

— Il faut que j'y aille! s'est-elle écriée tout à coup. Il faut que je rentre à la maison pour raconter à ma maman ce que j'ai vu. J'habite là-bas, dans cette maison jaune. C'est maman qui est sur le perron. Tu la vois? Elle te fait signe.

J'ai agité la main en direction de la femme qui se tenait sur le perron. Elle m'a fait signe à son tour, et j'ai regardé Sweetie Pie Thomas courir vers sa maman pour lui raconter l'histoire d'Otis le magicien. Cela m'a fait penser à *ma* maman; comme j'aurais voulu, moi aussi, lui raconter l'histoire d'Otis qui charmait les animaux. J'aurais voulu aussi lui raconter l'histoire de Mlle Franny et de l'ours, et ma rencontre avec Gloria Dump et comment j'avais cru pendant une minute que c'était une sorcière. J'avais le sentiment que maman aimerait ce genre d'histoires, des histoires qui la feraient éclater de rire, comme m'avait raconté le pasteur.

Chapitre treize

Winn-Dixie et moi avions maintenant l'habitude de partir tôt le matin, afin d'arriver à temps pour écouter Otis jouer de la guitare aux animaux. Quelquefois, Sweetie Pie Thomas entrait aussi pour entendre le concert. Elle s'assoyait sur le plancher, prenait Winn-Dixie par le cou et le berçait, comme si c'était un gros ours en peluche. Puis, lorsque la musique était terminée, elle se promenait dans le magasin, essayant de choisir le genre d'animal qu'elle pourrait avoir. Mais elle finissait toujours par abandonner et rentrer parce que la seule chose qu'elle voulait, c'était un chien comme Winn-Dixie. Une fois qu'elle était partie, je balayais et nettoyais, et je rangeais même certaines des étagères d'Otis, car il n'avait pas le coup d'œil pour présenter les choses, alors que moi, je savais comment m'y prendre. Lorsque j'avais terminé, Otis notait mon temps dans un carnet, sur la couverture duquel il avait griffonné : « Un collier et une laisse de cuir rouges ». Et pendant tout ce temps, il ne s'est jamais comporté comme un criminel.

À la sortie du travail à l'animalerie, Winn-Dixie et moi nous rendions à la bibliothèque Herman W. Block pour bavarder avec Mlle Franny et l'écouter nous raconter une histoire. Mais cet été-là, mon endroit préféré, c'était la cour de Gloria. Je crois que c'était aussi l'endroit préféré de Winn-Dixie parce que, lorsque nous arrivions à la rue où habitait Gloria, Winn-Dixie se mettait à courir à toute vitesse vers la cour, pressé de déguster sa cuillerée de beurre d'arachides.

Parfois, Dunlap et Stevie Dewberry me suivaient et me criaient :

— La fille du pasteur va rendre visite à la sorcière!

— Ce n'est pas une sorcière! que je rétorquais.

Le fait qu'ils ne m'écoutaient pas et qu'ils continuaient à croire ce qu'ils voulaient croire à propos de Gloria me mettait en colère. Une fois Stevie m'a lancé :

— Ma mère dit que tu ne devrais pas passer tout ton temps à l'animalerie et à la bibliothèque, à rester assise avec des vieilles femmes. Elle dit que tu devrais aller jouer dehors avec des enfants de ton âge. C'est ça que ma mère pense.

— Laisse-la tranquille! a lancé Dunlap à Stevie. Il ne pense pas ce qu'il dit, a-t-il ajouté en se tournant vers moi.

— Je me moque de ce que ta mère pense, ai-je hurlé, furieuse, à Stevie. Ce n'est pas ma mère, elle n'a pas à me dire ce que je dois faire.

— Je vais dire à ma mère ce que tu viens de dire! a crié Stevie, et elle va le dire à ton père, et il va te sermonner devant tous les gens de l'église. Et cet homme de l'animalerie est un retardé qui est allé en prison, et je me demande si ton père le sait.

— Otis n'est pas un retardé! ai-je rétorqué. Et mon père sait qu'il a fait de la prison, ai-je ajouté, même si c'était un mensonge, mais cela m'était égal. Et tu peux, si tu veux, aller raconter ce que tu veux sur moi, gros bébé chauve.

Cela m'épuisait de crier tous les jours après Dunlap et Stevie Dewberry; lorsque j'arrivais chez Gloria, je me sentais comme un soldat après une bataille. Gloria me préparait tout de suite un sandwich au beurre d'arachides et me servait un verre de café au lait, et cela me remontait.

— Pourquoi ne joues-tu pas avec ces garçons? me demandait Gloria.

— Parce qu'ils sont ignorants. Ils croient encore que vous êtes une sorcière, alors que je n'arrête pas de leur répéter que ce n'est pas vrai.

— Je crois qu'ils essaient simplement de devenir

amis avec toi, d'une façon détournée, m'expliquait-elle.

— Je ne veux pas être leur amie.

— Ça pourrait être amusant d'avoir deux garçons comme amis.

— Je préfère parler avec vous. Ils sont stupides et méchants. Et puis, ce sont des garçons.

Gloria secouait la tête et soupirait. Puis elle me demandait ce qui se passait dans le monde et si j'avais des histoires à lui raconter. Ce qui était toujours le cas.

Chapitre quatorze

Quelquefois, je racontais à Gloria l'histoire que Mlle Franny venait de me conter. Ou j'imitais Otis en train de jouer de la guitare aux animaux, en battant la mesure avec ses bottes pointues, ce qui la faisait toujours rire. Quelquefois, j'inventais une histoire et Gloria l'écoutait du début à la fin. Elle m'a raconté qu'elle adorait lire des histoires autrefois, mais qu'elle ne pouvait plus le faire, car sa vue avait beaucoup baissé.

— Pourquoi ne portez-vous pas des lunettes très fortes? lui ai-je demandé.

— Tu sais, ma petite, ils ne fabriquent pas de lunettes assez fortes pour mes yeux.

Un jour, à la fin d'une histoire, j'ai décidé de dire à Gloria qu'Otis était un criminel. J'ai pensé que je devais en parler à un adulte, et elle était l'adulte la plus gentille que je connaisse.

— Gloria? ai-je fait.

— Oui? a-t-elle répondu.

— Vous connaissez Otis?

— Je ne le connais pas personnellement. Je sais seulement ce que tu m'as raconté sur lui.

— Eh bien! c'est un criminel. Il a été en prison. Est-ce que vous pensez que je devrais avoir peur de lui?

— Pourquoi?

— Je ne sais pas. Parce qu'il a fait de vilaines choses, je suppose. Parce qu'il a fait de la prison.

— Ma petite, je vais te montrer quelque chose, a-t-elle dit avant de se lever très lentement de sa chaise et de me saisir le bras. Allons jusqu'au fond de la cour.

— D'accord, ai-je répondu.

Nous avons marché, Winn-Dixie sur nos talons.

C'était une cour immense, que je n'avais pas encore explorée jusqu'au fond. Lorsque nous avons atteint un vieil arbre gigantesque, nous nous sommes arrêtées.

— Regarde cet arbre, a dit Gloria.

Lorsque j'ai levé les yeux, j'ai aperçu des bouteilles suspendues à presque toutes les branches. Il y avait des bouteilles de whisky et des bouteilles de vin, toutes attachées à une corde, et certaines s'entrechoquaient en faisant un bruit lugubre. Nous restions là à fixer l'arbre; le poil de la tête de Winn-Dixie s'est légèrement soulevé et il a poussé une espèce de grognement. Gloria a pointé l'arbre avec sa canne.

— Que penses-tu de cet arbre?

— Je ne sais pas, ai-je répondu. Pourquoi toutes ces bouteilles ont-elles été accrochées là?

— Pour faire fuir les fantômes, a-t-elle dit.

— Quels fantômes?

— Les fantômes de toutes mes erreurs.

— Vous avez commis toutes ces erreurs? ai-je

demandé après avoir observé l'arbre.

— Oui, et même plus que ça.

— Mais vous êtes la personne la plus gentille que je connaisse! ai-je protesté.

— Ça ne veut pas dire que je n'ai pas commis d'erreurs.

— Il y a des bouteilles de whisky, dans cet arbre, ai-je fait remarquer. Et des bouteilles de bière.

— Je le sais, ma petite, a répliqué Gloria. C'est moi qui les ai accrochées là. C'est moi qui ai bu ce qu'il y avait dedans.

— Ma maman aussi buvait, ai-je murmuré.

— Je sais, a dit Gloria.

— Le pasteur a dit que parfois, elle ne pouvait pas s'arrêter.

— Eh oui! il y a des gens comme ça. Ils commencent et ne peuvent plus s'arrêter.

— Faites-vous partie de ces gens-là?

— Oui, je suis comme ça. Mais de nos jours, je ne

bois plus que du café.

— Est-ce que c'est le whisky, la bière et le vin qui vous ont fait commettre les erreurs qui sont maintenant des fantômes?

— Certaines d'entre elles. Il y en a d'autres que j'aurais commises de toute façon, avec ou sans alcool. Avant que j'apprenne ma leçon

— Apprenne quoi?

— Que j'apprenne ce qui est le plus important dans la vie.

— Qu'est-ce que c'est?

— C'est différent pour chacun, a-t-elle répondu. Un jour, tu découvriras ce qui l'est pour toi, mais, en attendant, rappelle-toi qu'il ne faut pas toujours juger les gens sur leurs actions passées. Il faut les juger d'après ce qu'ils sont maintenant. Tu as jugé Otis sur la jolie musique qu'il joue et sur sa bonté envers les animaux, parce que c'est tout ce que tu sais de lui pour le moment, pas vrai?

— Oui, madame.

— Et les frères Dewberry, essaie de ne pas les juger trop durement, d'accord?

— D'accord, ai-je dit.

— Très bien, a dit Gloria avant de tourner les talons et de s'éloigner.

Winn-Dixie me donnait des petits coups avec son museau humide et remuait la queue; lorsqu'il a vu que je ne bougeais pas, il s'est mis à trottiner derrière Gloria. Je suis restée immobile et j'ai observé l'arbre. Je me suis demandé si maman, là où elle se trouvait, avait un arbre plein de bouteilles; je me suis demandé si j'étais un fantôme pour elle, comme elle était, en quelque sorte, un fantôme pour moi.

Chapitre quinze

La climatisation de la bibliothèque Herman W. Block ne fonctionnait pas très bien, et il n'y avait qu'un ventilateur. Aussi, dès que Winn-Dixie et moi entrions dans la bibliothèque, il monopolisait l'appareil. Il s'installait juste devant en remuant la queue et laissait l'air lui soulever tout le poil. Certains de ses poils ne tenaient pas très bien et se détachaient, comme des graines de pissenlit. J'étais gênée qu'il prenne toute la place devant le ventilateur et j'avais peur qu'il devienne chauve à rester là, mais Mlle Franny m'a dit de ne pas m'inquiéter, que Winn-Dixie pouvait monopoliser le ventilateur si cela lui plaisait et qu'elle n'avait jamais vu de chien devenir chauve à cause d'un ventilateur.

Parfois, pendant qu'elle me racontait une histoire, Mlle Franny avait une crise. C'étaient des petites crises, qui ne duraient pas longtemps. Elle commençait par oublier ce qu'elle venait de dire, puis elle s'arrêtait de parler et se mettait à trembler comme une feuille. Lorsque cela se produisait, Winn-Dixie se levait d'un bond et allait s'asseoir tout près d'elle. Il se tenait droit, comme pour la protéger, avec les oreilles dressées sur la tête, comme des soldats. Et lorsqu'elle s'arrêtait de trembler et reprenait la parole, Winn-Dixie lui léchait la main et retournait se coucher devant le ventilateur.

Chaque fois que Mlle Franny avait une crise, cela me rappelait Winn-Dixie pendant un orage. Il y a eu beaucoup d'orages, cet été-là, et j'ai appris à retenir Winn-Dixie pendant qu'ils faisaient rage. Je le tenais contre moi et le réconfortais en lui murmurant à l'oreille des mots rassurants, et je le berçais, tout comme lui, il essayait de réconforter Mlle Franny lorsqu'elle avait ses crises. Sauf que je tenais Winn-

Dixie pour une deuxième raison : je ne voulais pas qu'il se sauve.

Tout cela me faisait penser à Gloria Dump. Je me demandais qui la réconfortait lorsqu'elle entendait ses bouteilles s'entrechoquer, ses fantômes lui rappeler ses erreurs. Je voulais la réconforter. Et j'ai décidé que la meilleure façon de le faire serait de lui lire un livre, de le lui lire assez fort pour éloigner les fantômes.

J'ai donc demandé à Mlle Franny.

Mademoiselle Franny, je connais une vieille dame qui ne voit plus grand-chose et j'aimerais lui lire un livre à haute voix. Est-ce que vous avez des suggestions?

— Des suggestions? a répété Mlle Franny. Bien sûr que j'ai des suggestions! Que penses-tu de *Autant en emporte le vent*?

— Qu'est-ce que c'est que ça? ai-je demandé.

— Eh bien! c'est une merveilleuse histoire sur la guerre de Sécession.

— La guerre de Sécession? ai-je répété.

— Ne me dis pas que tu n'as jamais entendu parler de la guerre de Sécession? a demandé Mlle Franny.

On aurait dit qu'elle allait s'évanouir; elle s'éventait le visage de la main.

— Je sais ce que c'est, la guerre de Sécession, ai-je répondu. C'était la guerre entre le Sud et le Nord, à cause de l'esclavage.

— L'esclavage, c'est ça! a rétorqué Mlle Franny. C'était aussi à propos des droits et de l'argent des États. Ce fut une guerre terrible. Mon arrière-grand-père y a participé. Il n'était encore qu'un jeune garçon.

— Votre arrière-grand-père?

— Oui. Littmus W. Block. Ça, c'est une longue histoire.

Winn-Dixie s'est mis à bâiller et s'est couché sur le côté en soupirant. J'aurais juré qu'il comprenait cette phrase : « Ça, c'est une longue histoire ». Il savait que nous n'allions pas partir de là avant un bout de temps.

— Racontez-la-moi, mademoiselle Franny, ai-je dit.

Je me suis assise par terre, les jambes croisées, à côté de Winn-Dixie. J'ai essayé de le pousser pour profiter un peu du ventilateur. Mais il a fait semblant de dormir et n'a pas bougé d'un pouce.

J'étais installée, prête à écouter une belle histoire, lorsque la porte s'est ouverte et qu'Amanda à l'air pincé est entrée. Winn-Dixie s'est assis et l'a fixée du regard. Il lui a fait un beau sourire, mais, comme elle ne le lui a pas rendu, il s'est recouché.

— Je suis prête pour un autre livre, a déclaré Amanda en jetant le livre qu'elle tenait sur le bureau de Mlle Franny.

— Eh bien! a dit Mlle Franny, aurais-tu la gentillesse d'attendre un peu? Je suis en train de raconter l'histoire de mon arrière-grand-père à India Opal. Tu peux te joindre à nous, si tu veux. Je n'en aurai pas pour bien longtemps.

Amanda a poussé un grand soupir et a regardé au-dessus de mon épaule. Elle a fait comme si elle n'était pas intéressée, mais je voyais bien qu'elle l'était.

— Viens t'asseoir ici, a dit Mlle Franny.

— Merci, mais je préfère rester debout, a répondu Amanda.

— Comme tu voudras. Alors, où en étais-je? Ah oui! Littmus. Littmus W. Block.

Chapitre seize

— Littmus W. Block n'était encore qu'un jeune garçon lorsque Fort Sumter a été attaqué, a commencé Mlle Franny.

— Fort Sumter? ai-je demandé.

— C'est l'attaque sur Fort Sumter qui a déclenché la guerre, a déclaré Amanda.

— Ah bon! ai-je dit en haussant les épaules.

— Donc, Littmus avait quatorze ans, a poursuivi Mlle Franny. Ce n'était qu'un jeune garçon, mais il était grand et fort. Son père, Artley W. Block, s'était déjà engagé dans l'armée. Littmus a dit à sa mère qu'il ne pouvait pas supporter de rester là à laisser le Sud se faire battre; il est donc parti combattre. Les hommes et les garçons sont toujours prêts à se battre, a-t-elle murmuré après avoir balayé la bibliothèque du regard. Ils cherchent toujours un motif pour partir à la guerre. C'est la chose la plus triste. Ils ont cette drôle d'idée que c'est passionnant de faire la guerre. Et aucune leçon d'histoire ne les convaincra du contraire. Toujours est-il que Littmus est parti s'engager. Il a menti sur son âge. Eh oui! Et comme il était grand, l'armée l'a accepté et il est parti à la guerre, tout simplement. Il a laissé sa mère et ses trois sœurs. Il est parti pour devenir un héros, mais il a vite découvert la vérité.

Mlle Franny a fermé les yeux et a secoué la tête.

— Quelle vérité? ai-je demandé.

— Eh bien! que la guerre, c'est l'enfer! a-t-elle répondu, les yeux toujours fermés. Un maudit enfer.

— *Maudit* est un gros mot! s'est écriée Amanda.

Je l'ai regardée à la dérobée. Elle avait l'air encore plus pincé que d'habitude.

— La *guerre*, a répondu Mlle Franny, sans ouvrir les

yeux, devrait aussi être un gros mot.

Elle a secoué la tête et ouvert les yeux, puis elle a pointé le doigt vers moi, puis vers Amanda.

— Vous ne pouvez pas vous imaginer, ni l'une ni l'autre, ce que c'est.

— Non, madame, avons-nous répondu en chœur, Amanda et moi.

Nous nous sommes regardées très vite, avant de nous retourner vers Mlle Franny.

— Vous ne pouvez pas vous imaginer. Littmus avait faim tout le temps. Et il était couvert de vermine – de puces et de poux. Et en hiver, il faisait tellement froid qu'il a vraiment cru qu'il allait mourir gelé. Et en été... Il n'y a rien de pire que la guerre en été. Ça pue tellement! La seule chose qui lui faisait oublier sa faim, ses démangeaisons et la chaleur ou le froid, c'était qu'on lui tirait dessus. On lui a souvent tiré dessus. Et ce n'était qu'un gamin.

— A-t-il été tué? ai-je demandé à Mlle Franny.

— Doux Jésus! s'est exclamée Amanda en levant les yeux au ciel.

— Opal, a dit Mlle Franny, je ne serais pas là, en train de te raconter cette histoire, s'il avait été tué. Je n'existerais pas. Il fallait qu'il vive. Mais il était devenu un tout autre homme lorsqu'il est rentré chez lui à pied, à la fin de la guerre. Il a marché de Virginie jusqu'en Géorgie. Il n'avait pas de cheval. Personne n'avait de cheval, sauf les Yankees. Il a marché et, lorsqu'il est arrivé chez lui, il n'y avait plus de maison.

— Où était-elle? ai-je demandé.

Cela m'était égal qu'Amanda me trouve stupide. Je voulais savoir.

— Où? s'est écriée Mlle Franny tellement fort que Winn-Dixie, Amanda et moi avons sursauté. Les Yankees l'avaient brûlée! Eh oui! La maison avait été entièrement brûlée.

— Et ses sœurs? a demandé Amanda avant de faire le tour du bureau et de venir s'asseoir sur le plancher.

Qu'est-ce qui leur est arrivé? a-t-elle ajouté en regardant Mlle Franny.

— Elles sont mortes. De la fièvre typhoïde.

— Oh, non! a dit Amanda d'une voix très douce.

— Et sa maman? ai-je murmuré.

— Morte aussi.

— Et son père? a demandé Amanda. Qu'est-ce qui lui est arrivé?

— Il est mort sur le champ de bataille.

— Littmus était orphelin, alors? ai-je demandé.

— Oui, a répondu Mlle Franny. Littmus était orphelin.

— C'est une histoire triste, ai-je dit.

— Ça, c'est vrai, a renchéri Amanda.

Je n'en revenais pas qu'elle soit d'accord avec moi sur quelque chose.

— Je n'ai pas terminé, a dit Mlle Franny.

Winn-Dixie a commencé à ronfler et je lui ai donné un petit coup de pied pour qu'il cesse. Je voulais connaître le reste de l'histoire. C'était important pour moi de savoir comment Littmus avait survécu, après avoir perdu tout ce qu'il aimait.

Chapitre dix-sept

— Comme je le disais, Littmus est revenu de la guerre, a repris Mlle Franny, et il s'est retrouvé tout seul. Il s'est assis sur ce qui était autrefois le seuil de sa maison, et il a pleuré toutes les larmes de son corps. Il a pleuré comme un bebe. Son pere et sa mere lui manquaient, et ses sœurs aussi; il aurait voulu que tout redevienne comme avant. Après avoir bien pleuré, il a éprouvé une drôle de sensation. Il avait envie de sucré, d'un bonbon. Il n'avait pas mangé de bonbons depuis des années. C'est alors qu'il a pris une décision. Oui. Littmus trouvait que le monde était laid et qu'il s'y passait un tas de vilaines choses. Il allait donc se consacrer à y apporter des douceurs. Il s'est levé et a pris la route. Il a marché jusqu'en Floride. Et pendant tout ce temps, il a fait des plans dans sa tête.

— Des plans pour quoi? ai-je demandé.

— Eh bien! des plans pour construire une usine de bonbons.

— Est-ce qu'il l'a construite? ai-je encore demandé.

— Bien sûr. Le bâtiment est toujours là, sur la rue Fairville.

— Le vieux bâtiment? a demandé Amanda. Le gros bâtiment lugubre?

— Ce n'est pas lugubre! a rétorqué Mlle Franny. C'est le berceau de la fortune familiale. C'est là que mon arrière-grand-père a fabriqué les pastilles Littmus, qui étaient célèbres dans le monde entier.

— Je n'en ai jamais entendu parler, a fait remarquer Amanda.

— Moi non plus, ai-je dit.

— C'est parce qu'on n'en fabrique plus. Il semble que le monde ait perdu l'appétit pour les pastilles

Littmus. Mais il se trouve que j'en ai encore.

Elle a ouvert un tiroir de son bureau. Il était plein de bonbons. Elle a ensuite ouvert le tiroir du dessous, qui était, lui aussi, plein de bonbons. Le bureau de Mlle Franny regorgeait de bonbons.

— Aimeriez-vous une pastille Littmus? a-t-elle demandé à Amanda et à moi.

— Avec plaisir, a répondu Amanda.

— Bien sûr, ai-je dit. Est-ce que Winn-Dixie peut en avoir une aussi?

— Je n'ai jamais connu de chien qui aimait les bonbons durs, a déclaré Mlle Franny, mais s'il en veut un, il peut en avoir.

Mlle Franny a donné une pastille à Amanda et deux à moi. J'en ai déballé une et l'ai tendue à Winn-Dixie. Il s'est assis, l'a reniflée en remuant la queue, puis l'a prise très doucement. Après avoir essayé de la mâcher, sans succès, il l'a avalée d'un seul coup. Puis il a remué la queue et s'est recouché.

J'ai sucé lentement ma pastille Littmus. Cela avait bon goût, le goût de la racinette et de la fraise, et de quelque chose d'autre que je n'aurais pas pu nommer, quelque chose qui me rendait triste. J'ai regardé Amanda. Elle suçait sa pastille, plongée dans ses pensées.

— Est-ce que tu aimes ça? a demandé Mlle Franny.

— Oui, madame, ai-je répondu

— Et toi, Amanda? Est-ce que tu aimes ta pastille Littmus?

— Oui, madame. Mais ça me fait penser à des choses tristes.

Je me demandais ce qui pouvait bien la rendre triste. Elle ne venait pas de déménager ici. Elle avait son père et sa mère. Je les avais vus ensemble à l'église.

— Ça renferme un ingrédient secret, nous a dit Mlle Franny.

— Je le sais, ai-je dit. Je peux le goûter. Qu'est-ce que c'est?

— De la tristesse, a répondu Mlle Franny. Ce n'est

pas tout le monde qui peut déceler cet ingrédient. Les enfants, en particulier, semblent avoir du mal à le détecter.

— Moi, je peux, ai-je dit.

— Moi aussi, a dit Amanda.

— Eh bien! a conclu Mlle Franny, vous avez probablement vécu des expériences vraiment tristes, toutes les deux.

— J'ai dû déménager de Watley et quitter tous mes amis, ai-je dit. Ça, c'était une expérience triste. Et Dunlap et Stevie Dewberry sont toujours en train de m'embêter. Ça aussi, c'est triste. Mais la plus grande tristesse, ma plus grande tristesse, c'est que ma maman m'a quittée lorsque j'étais toute petite. Je me souviens à peine d'elle; j'espère toujours que je vais la revoir un jour et lui raconter des histoires.

— Ça me rappelle que Carson me manque, a murmuré Amanda, comme si elle allait fondre en larmes. Il faut que je m'en aille, a-t-elle ajouté.

Elle s'est levée précipitamment et s'est dirigée au pas de course vers la sortie de la bibliothèque Herman W. Block.

— Qui est Carson? ai-je demandé à Mlle Franny.

— La tristesse, a-t-elle répondu après avoir secoué la tête. C'est un monde rempli de tristesse.

— Mais comment peut-on mettre ça dans un bonbon? ai-je demandé. Comment est-ce qu'on peut mettre la saveur de la tristesse dedans?

— C'est un secret. C'est pourquoi Littmus a fait fortune. Il a fabriqué un bonbon qui a un goût sucré et triste à la fois.

— Est-ce que je peux en avoir un pour mon amie Gloria Dump? Et un autre pour Otis de l'animalerie? Et un pour le pasteur? Et un autre pour Sweetie Pie Thomas?

— Tu peux en avoir autant que tu veux, a répondu Mlle Franny.

J'ai donc rempli mes poches de pastilles Littmus et

j'ai remercié Mlle Franny pour son histoire, puis j'ai emprunté *Autant en emporte le vent*, qui était un très gros livre. Ensuite, j'ai dit à Winn-Dixie de se lever et nous sommes partis, tous les deux, chez Gloria. Je suis passée juste devant la maison des Dewberry. Dunlap et Stevie étaient là, qui jouaient au football. J'étais sur le point de leur tirer la langue, mais j'ai pensé à ce qu'avait dit Mlle Franny, que la guerre, c'était l'enfer. J'ai pensé aussi à ce que Gloria m'avait demandé, de ne pas les juger trop durement. Je me suis donc contentée de les saluer de la main. Ils sont restés plantés là à me dévisager. J'avais déjà dépassé la maison lorsque, du coin de l'œil, j'ai aperçu Dunlap qui agitait la main à son tour.

— Hé! a-t-il crié. Hé, Opal!

Je lui ai fait un grand signe de la main et j'ai pensé à Amanda; j'étais contente qu'elle aime écouter une belle histoire comme moi. Et je me suis demandé de nouveau... qui était Carson?

Chapitre dix-huit

Lorsque nous sommes arrivés chez Gloria, je lui ai annoncé que j'avais deux surprises pour elle; et je lui ai demandé laquelle elle voulait connaître en premier, la petite ou la grande.

— La petite, a répondu Gloria.

Je lui ai tendu une pastille Littmus et elle l'a palpée, pour savoir ce que c'était.

— Un bonbon? a-t-elle demandé.

— Oui, c'est ça. Ça s'appelle une pastille Littmus.

— Doux Jésus! Oui, je me souviens de ces bonbons. Mon père en raffolait.

Elle a déballé la pastille, l'a placée dans sa bouche et a hoché la tête.

— Vous aimez ça? ai-je demandé.

— Hummm, a-t-elle fait en hochant lentement la tête. Ça a un goût sucré, mais ça a aussi le goût des départs.

— Un goût triste, vous voulez dire? Est-ce que ça goûte la tristesse pour vous?

— Oui! Un goût triste et sucré, à la fois. Quelle est la deuxième surprise?

— Un livre, ai-je dit.

— Un livre?

— Oui. Je vais vous le lire à haute voix. Ça s'appelle *Autant en emporte le vent*. Mlle Franny dit que c'est un très bon livre. C'est sur la guerre de Sécession. Est-ce que vous connaissez la guerre de Sécession?

— J'en ai entendu parler une ou deux fois, a dit Gloria en hochant la tête et en suçant sa pastille Littmus.

— Ça va nous prendre beaucoup de temps à le lire, lui ai-je dit. Il a mille trente-sept pages.

— Oh! s'est exclamée Gloria avant de s'appuyer sur le dossier de sa chaise et de croiser les mains sur son estomac. Alors, nous ferions bien de commencer.

J'ai lu à haute voix le premier chapitre d'*Autant en emporte le vent* à Gloria. Je l'ai lu assez fort pour éloigner les fantômes. Et Gloria m'a écoutée attentivement. À la fin de ma lecture, elle m'a dit que c'était la meilleure surprise qu'on lui avait jamais faite et qu'elle avait hâte de connaître la suite.

Ce soir-là, j'ai donné au pasteur sa pastille Littmus, juste avant qu'il me souhaite une bonne nuit.

— Qu'est-ce que c'est?

— C'est un bonbon qui a été inventé par l'arrière-grand-père de Mlle Franny. Ça s'appelle une pastille Littmus.

Le pasteur l'a déballée et l'a mise dans sa bouche et, au bout d'une minute, il s'est mis à se frotter le nez et à hocher la tête.

— Est-ce que tu aimes ça? lui ai-je demandé.

— Ça a un drôle de goût...

— De racinette?

— Autre chose.

— Un goût de fraise?

— Oui, aussi. Mais il y a autre chose. C'est bizarre.

Je voyais bien que le pasteur partait dans ses pensées. Il a soulevé les épaules et a baissé le menton comme s'il s'apprêtait à rentrer dans sa carapace.

— Ça a un léger goût de mélancolie, a-t-il dit.

— *Mélancolie?* Qu'est-ce que ça veut dire?

— Tristesse, a dit le pasteur en se frottant de nouveau le nez. Ça me fait penser à ta mère.

Winn-Dixie a reniflé le papier d'emballage dans la main du pasteur.

— Ça a un goût triste, a-t-il soupiré. On a dû tomber sur un mauvais lot.

— Non, ai-je répliqué en m'assoyant sur le lit. C'est le goût que le bonbon est censé avoir. Lorsque Littmus est revenu de la guerre, toute sa famille était morte. Son père était mort au combat. Et sa mère et ses sœurs étaient mortes d'une maladie, et les Yankees avaient brûlé leur maison. Littmus était triste, très triste, et ce qu'il voulait le plus au monde, c'était quelque chose de sucré, une douceur. Alors, il a construit une usine de bonbons et a fabriqué les pastilles Littmus; il a mis toute la tristesse qu'il ressentait dans la pastille.

— Doux Jésus! s'est exclamé le pasteur.

Winn-Dixie a pris le papier d'emballage de la main du pasteur et a commencé à le mâchonner.

— Donne-moi ça! ai-je ordonné à Winn-Dixie, qui a refusé d'obéir. Tu ne peux pas manger un emballage de bonbon, ai-je ajouté après le lui avoir ôté de la gueule.

Le pasteur s'est éclairci la gorge. Je pensais qu'il allait dire quelque chose d'important, peut-être une autre chose dont il se souvenait à propos de maman.

— Opal, j'ai parlé l'autre jour à Mme Dewberry. Elle m'a dit que Stevie s'était plaint que tu le traitais de bébé chauve.

— C'est vrai, ai-je dit, mais il traite tout le temps Gloria Dump de sorcière, et Otis de retardé. Et une fois, il a même dit que sa maman pensait que je ne devrais pas passer tout mon temps avec des vieilles femmes. C'est ça qu'il a dit.

— Je pense que tu devrais t'excuser, a dit le pasteur.

— Moi?

Oui, toi. Tu devrais dire à Stevie que tu regrettes de l'avoir blessé. Je suis persuadé qu'il veut être ton ami.

— Je ne crois pas, lui ai-je dit. Je ne crois pas qu'il veuille être mon ami.

— Certaines personnes ont une étrange façon de se comporter pour se lier d'amitié. Tu dois lui présenter des excuses.

— Oui, m'sieur, ai-je dit. Papa, ai-je poursuivi en me souvenant de Carson, est-ce que tu connais des choses sur Amanda Wilkinson?

— Quel genre de chose?

— Sais-tu quelque chose sur elle et sur quelqu'un appelé Carson?

— Carson était son frère. Il s'est noyé l'année dernière.

— Il est mort?

— Oui. Sa famille ne s'en est pas encore remise, a ajouté le pasteur.

— Quel âge avait-il?

— Cinq ans. Il avait seulement cinq ans.

— Papa, ai-je dit, comment se fait-il que tu ne m'en aies pas parlé?

— Les tragédies des autres ne doivent pas être discutées à la légère. Je n'avais aucune raison de t'en parler.

— J'aurais eu besoin de le savoir. Ça m'aide à comprendre Amanda. Ce n'est pas étonnant qu'elle ait toujours l'air pincé.

— Qu'est-ce que tu dis?

— Rien, ai-je répondu.

— Bonne nuit, India Opal, a dit le pasteur, avant se pencher vers moi et de m'embrasser. J'ai alors senti ce mélange de racinette, de fraise et de tristesse dans son haleine.

Il a donné une petite tape sur la tête de Winn-Dixie, s'est levé, a éteint la lumière et a fermé la porte derrière lui.

Je ne me suis pas endormie tout de suite. Je suis restée à réfléchir dans l'obscurité. Je me disais que la vie ressemblait à une pastille Littmus, à la fois douce et triste, et qu'il était très difficile de les distinguer. Comme c'était étrange.

— Papa! ai-je crié.

Au bout d'un instant, il a ouvert la porte et m'a regardée, les sourcils levés.

— Quel était le mot que tu as utilisé? Le mot qui voulait dire tristesse?

— *Mélancolie*, a-t-il répondu.

— *Mélancolie*, ai-je répété.

J'aimais le son du mot, comme s'il y avait de la musique cachée à l'intérieur.

— Dors maintenant, a dit le pasteur.

— Bonne nuit, ai-je répondu.

Je me suis levée et j'ai déballé une pastille Littmus. Je l'ai sucée très fort en songeant à maman. Je ressentais de la mélancolie. Puis j'ai pensé à Amanda et à Carson. Et cela aussi m'a fait ressentir de la mélancolie. Pauvre Amanda. Et pauvre Carson. Il avait le même âge que Sweetie Pie Thomas. Mais lui ne fêterait jamais son sixième anniversaire.

Chapitre dix-neuf

Le lendemain matin, lorsque Winn-Dixie et moi sommes partis à l'animalerie, j'ai emporté une pastille Littmus pour Otis.

— Est-ce que c'est l'Halloween? a demandé Otis lorsque je lui ai tendu la pastille.

— Non, pourquoi?

— Parce que tu me donnes un bonbon.

— C'est un cadeau, ai-je déclaré. Pour aujourd'hui.

— Ah bon! a fait Otis en déballant la pastille, qu'il a ensuite mise dans sa bouche.

Au bout d'un instant, des larmes se sont mises à couler sur ses joues.

— Merci, a-t-il dit.

— Est-ce que tu aimes ça?

Il a hoché la tête.

— Ça a bon goût, a-t-il ajouté, mais ça a aussi un peu le goût de la prison.

— Gertrude! a croassé Gertrude.

Le perroquet a ramassé le papier d'emballage avec son bec, puis l'a laissé tomber et a regardé autour de lui.

— Gertrude! a-t-il répété.

— Tu ne peux pas en avoir, lui ai-je lancé. Ce n'est pas pour les oiseaux.

Puis, très vite, avant que je n'en aie plus le courage, j'ai lâché :

— Otis, pourquoi as-tu fait de la prison? Es-tu un meurtrier?

— Non, mam'selle.

— Es-tu un voleur?

— Non, mam'selle, a répété Otis, avant de baisser les yeux sur ses bottes pointues et de se remettre à sucer sa pastille.

— Tu n'es pas obligé de me le dire. Je me demandais juste pourquoi.

— Je ne suis pas dangereux, a affirmé Otis, si c'est ce que tu te demandes. Je suis seul, mais je ne suis pas dangereux.

— Je vois, ai-je fait.

Et je suis allée dans la remise pour prendre mon balai. Lorsque je suis revenue, Otis n'avait pas bougé et continuait de fixer le bout de ses bottes.

C'était à cause de la musique, a-t-il dit.

— Quoi?

— C'est pour ça que j'ai fait de la prison. C'était à cause de la musique.

— Qu'est-ce qui s'est passé?

— Je n'arrêtais pas de jouer de la guitare. J'avais l'habitude d'en jouer dans la rue et quelquefois, les gens me donnaient de l'argent. Je ne faisais pas cela pour l'argent, mais parce que la musique est meilleure lorsque quelqu'un l'écoute. Toujours est-il que des policiers sont arrivés. Ils m'ont demandé d'arrêter de jouer. Ils ont ajouté que c'était illégal et, tout le temps qu'ils me parlaient, j'ai continué à jouer. Ça les a mis en colère. Ils ont essayé de me passer les menottes, a-t-il soupiré. Je ne voulais pas parce que ça m'aurait empêché de jouer de la guitare.

— Et alors, qu'est-ce qui s'est passé? ai-je demandé.

— Je les ai frappés, a-t-il murmuré.

— Tu as frappé des policiers?

— Oui. L'un d'entre eux. Je lui ai cassé la figure. Puis ils m'ont jeté en prison. Ils m'ont enfermé et m'ont pris ma guitare. Finalement, lorsqu'ils m'ont libéré, ils m'ont fait promettre de ne plus jamais jouer de guitare dans la rue.

Il a jeté un coup d'œil rapide dans ma direction avant de fixer de nouveau le bout de ses bottes.

— Et je ne joue plus dans la rue, a-t-il poursuivi. Je joue seulement ici. Pour les animaux. Gertrude, l'autre

Gertrude, la propriétaire du magasin, elle m'a offert ce travail lorsqu'elle a lu mon histoire dans le journal. Et elle m'a dit que je pouvais jouer de la musique pour les animaux.

— Tu joues ta musique pour Winn-Dixie, Sweetie Pie Thomas et moi, ai-je déclaré.

— Oui, a-t-il convenu, mais vous n'êtes pas dans la rue.

— Merci de m'avoir raconté ton histoire, Otis.

— De rien. Ça ne me gêne pas.

Sweetie Pie Thomas est entrée et je lui ai donné une pastille Littmus. Elle l'a immédiatement recrachée; elle a dit que cela avait mauvais goût. Que cela goûtait comme si on n'avait pas de chien.

Ce jour-là, j'ai balayé le plancher très lentement. Je voulais tenir compagnie à Otis. Je ne voulais pas qu'il se sente seul. Quelquefois, on a l'impression que tout le monde se sent seul. J'ai pensé à maman. Penser à elle, c'était comme le trou que l'on sent toujours avec sa langue lorsqu'on a perdu une dent. Je n'arrêtais pas de penser à ce vide, à cet endroit qu'elle aurait dû occuper.

Chapitre vingt

Lorsque j'ai raconté l'histoire d'Otis à Gloria, comment il avait été arrêté, elle a ri tellement fort qu'elle a dû retenir son dentier pour qu'il ne lui tombe pas de la bouche.

— Ouf! a-t-elle fait en reprenant son souffle. C'est vraiment ce qu'on appelle un dangereux criminel!

— C'est un homme seul, ai-je déclaré. Il aime jouer de la musique pour les gens.

Gloria s'est essuyé les yeux avec l'ourlet de sa robe.

— Je sais, ma petite. Mais certaines histoires sont tellement pathétiques qu'elles en sont drôles.

— Et vous savez quoi? ai-je ajouté, pensant toujours aux choses tristes. Cette fille dont je vous ai parlé, la fille à l'air pincé, Amanda. Eh bien! son frère s'est noyé l'année dernière. Il avait seulement cinq ans, comme Sweetie Pie Thomas.

Gloria a cessé de sourire et a hoché la tête.

— Je me souviens d'avoir entendu parler d'un petit garçon qui s'était noyé.

— C'est pour ça qu'Amanda a toujours l'air pincé. Son frère lui manque.

— Probablement, a dit Gloria.

— Pensez-vous qu'il y a toujours quelqu'un qui nous manque? Comme ma maman me manque à moi?

— Oui, a répondu Gloria en fermant les yeux. Je crois que parfois tout le monde souffre.

Je ne voulais plus penser à des choses tristes pour lesquelles on ne peut rien faire, alors j'ai changé de sujet.

— Est-ce que vous aimeriez écouter la suite d'*Autant en emporte le vent*?

— Oh oui! a répondu Gloria. J'ai attendu ce moment

toute la journée. Voyons ce qui va arriver maintenant à Mlle Scarlett.

J'ai ouvert *Autant en emporte le vent* et j'ai commencé à lire, mais je ne pouvais pas m'empêcher de penser à Otis, de me faire du souci pour lui qui ne pouvait pas jouer de la guitare pour les gens. Dans le livre, Scarlett s'apprêtait à se rendre à une réception en plein air, où il y aurait de la musique et de la nourriture. C'est comme cela que l'idée m'est venue.

— C'est ce qu'on devrait faire! me suis-je écriée en fermant brusquement le livre.

La tête de Winn-Dixie a jailli comme un éclair du dessous de la chaise de Gloria. Il a regardé nerveusement tout autour de lui.

— Quoi? a fait Gloria.

— Faire une fête, ai-je répondu. Nous devrions faire une fête et inviter Mlle Franny et le pasteur, et Otis aussi. Otis pourrait jouer de la guitare pour tout le monde. Sweetie Pie Thomas pourrait venir aussi. Elle aime bien l'écouter jouer.

— Qui ça « nous »? a demandé Gloria.

— Nous, vous et moi. Nous pourrions préparer à manger et faire la fête ici, dans la cour.

— Hummm... a fait Gloria.

— Nous pourrions faire des sandwiches au beurre d'arachides et les découper en triangles pour faire joli.

— Mon Dieu! s'est exclamée Gloria. Je ne sais pas si tout le monde aime le beurre d'arachides autant que toi et ton chien.

— Bon, alors on pourrait préparer des sandwiches aux œufs. Les grandes personnes aiment ça.

— Tu sais faire des sandwiches aux œufs, toi?

— Non. Je n'ai pas de maman pour m'apprendre ces choses-là. Mais je parie que vous, vous savez. Vous pourriez m'apprendre. S'il vous plaît.

— Peut-être, a répondu Gloria.

Elle a posé la main sur la tête de Winn-Dixie et m'a souri. Je savais qu'elle était d'accord.

— Merci, ai-je dit avant de m'avancer vers elle et de la serrer dans mes bras.

Je l'ai serrée très fort. Winn-Dixie a remué la queue et a essayé de s'interposer entre nous. Il ne pouvait pas supporter d'être laissé de côté.

— Ça va être la plus belle fête au monde, ai-je déclaré à Gloria.

— Mais il faut que tu me promettes quelque chose.

— Très bien, ai-je répondu.

— Il faut que tu invites les frères Dewberry.

— Dunlap et Stevie?

— Oui. Ce ne sera pas une fête si tu ne les invites pas.

— Je suis obligée?

— Oui, a dit Gloria. Promets-le-moi.

— Je promets, ai-je fait, même si je n'en avais pas envie.

J'ai commencé tout de suite à inviter les gens. J'ai demandé d'abord au pasteur.

— Papa?

— Oui, Opal?

— Winn-Dixie et moi et Gloria Dump organisons une fête.

— Bien, a dit le pasteur, c'est une bonne idée. Amusez-vous bien.

— Papa, je t'en parle parce que tu es invité.

— Oh! a-t-il fait, avant de se frotter le nez. Je vois.

— Est-ce que tu vas venir?

Il a soupiré.

— Je ne vois pas pourquoi je n'irais pas, a-t-il répondu.

Mlle Franny a tout de suite été emballée par l'invitation.

— Une fête! s'est-elle exclamée en tapant dans ses mains.

— Oui, madame. Ce sera un peu comme le barbecue organisé à Twelve Oaks, dans *Autant en emporte le vent*. Sauf qu'il n'y aura pas autant de gens et qu'on servira des sandwiches aux œufs.

— C'est une très bonne idée, a dit Mlle Franny. Tu devrais aussi inviter Amanda, a-t-elle chuchoté en pointant le fond de la bibliothèque.

— Elle ne voudra probablement pas venir. Elle ne m'aime pas beaucoup.

— Demande-lui et tu verras bien ce qu'elle dira, a encore chuchoté Mlle Franny.

Je me suis donc rendue au fond de la bibliothèque et j'ai demandé à Amanda, le plus gentiment possible, si elle voulait bien assister à ma petite fête. Elle a regardé autour d'elle, l'air nerveuse et embarrassée.

— Une fête? a-t-elle demandé

— Oui. Ça me ferait plaisir que tu viennes.

Elle me fixait, la bouche entrouverte.

— D'accord, a-t-elle fini par lâcher au bout d'un moment. Oui, bien sûr. Merci. J'en serais très heureuse.

Et comme je l'avais promis à Gloria, j'ai invité les frères Dewberry.

— Pas question que j'aille à une fête chez la sorcière, a répondu Stevie.

— Nous serons là, a dit Dunlap, après avoir donné un coup de coude à son frère.

— Non! a rétorqué Stevie. Nous risquerions de finir dans la marmite de cette vieille sorcière.

— Ça m'est égal que vous veniez ou pas! ai-je lancé. Je demandais seulement parce que j'ai promis de le faire.

— Nous serons là, a répété Dunlap en hochant la tête et en souriant.

Sweetie Pie Thomas était très contente lorsque je l'ai invitée.

— C'est quoi le thème? a-t-elle demandé.

— Eh bien! il n'y en a pas, ai-je répondu.

— Il faut que tu trouves un thème, a-t-elle insisté.

Elle s'est mise à sucer son doigt, puis l'a retiré de sa bouche.

— Une fête sans thème, ça n'existe pas. Est-ce que

ton chien va venir? a-t-elle demandé en prenant Winn-Dixie par le cou et en le serrant si fort que les yeux de mon chien lui sont presque sortis de la tête.

— Oui, lui ai-je répondu.

— Tant mieux, a-t-elle fait. Ça pourrait être le thème. Une fête de chien.

— Je vais y penser, ai-je répondu.

Otis a été la dernière personne que j'ai invitée. Je lui ai parlé de la fête et je lui ai dit qu'il était invité, mais il a refusé tout de suite.

— Non, merci, a-t-il dit.

— Pourquoi pas? ai-je demandé.

Je n'aime pas les fêtes.

— S'il te plaît! ai-je supplié. Ce ne sera pas vraiment une fête si tu ne viens pas. Je t'offre une semaine gratuite de balayage, d'époussetage et de rangement si tu viens à la fête.

— Toute une semaine gratuite? a demandé Otis en me regardant.

— Oui, m'sieur.

— Mais je n'aurai pas à parler aux gens, n'est-ce pas?

— Non, m'sieur, ai-je répondu. Mais apporte ta guitare. Tu pourras nous jouer de la musique.

— Peut-être, a murmuré Otis en baissant très vite les yeux, essayant de dissimuler son sourire.

— Merci, ai-je répondu. Merci d'avoir accepté mon invitation.

Chapitre vingt et un

Une fois que j'ai réussi à convaincre Otis, le reste des préparatifs a été facile et amusant. Gloria et moi avons décidé que la fête aurait lieu le soir, lorsqu'il ferait plus frais. La veille, dans l'après-midi, nous avons préparé les sandwiches aux œufs dans la cuisine de Gloria. Nous les avons découpés en forme de triangles, en avons enlevé la croûte et y avons piqué des cure-dents ornés de petits rubans, pour décorer. Winn-Dixie s'était assis dans la cuisine et nous observait sagement. Il n'arrêtait pas de remuer la queue.

— Ce chien pense que ces sandwiches sont pour lui.

Winn-Dixie lui a souri de toutes ses dents.

— Ce n'est pas pour toi, mon vieux! a lancé Gloria.

Mais lorsqu'elle pensait que je ne regardais pas, elle lui a filé un sandwich sans cure-dent.

Nous avons aussi préparé du punch. Dans un grand saladier, nous avons mélangé du jus d'orange, du jus de pamplemousse et du soda. Gloria l'a baptisé le punch Gloria. Elle a dit que son punch était célèbre dans le monde entier. Mais je n'en avais jamais entendu parler.

Et finalement, nous avons décoré la cour. J'ai accroché des banderoles de papier crêpé rose, orange et jaune dans les arbres pour donner un air de fête. Nous avons aussi rempli de sable des sacs en papier et placé des bougies dedans. Et, juste avant que ce soit l'heure de la fête, j'ai allumé toutes les bougies, une à une. La cour de Gloria s'est aussitôt transformée en pays des merveilles.

— Très bien, a déclaré Gloria. Même quelqu'un qui n'a pas de bons yeux peut voir que c'est beau.

C'était effectivement très beau. Si beau que j'en avais le cœur chaviré, comme prêt à exploser. À cet instant, je souhaitais désespérément savoir où se trouvait maman pour qu'elle puisse, elle aussi, assister à la fête.

Mlle Franny a été la première à se présenter. Elle portait une jolie robe verte toute brillante, ainsi que des chaussures à talons hauts qui la faisaient se dandiner lorsqu'elle marchait. Même lorsqu'elle était immobile, on aurait dit qu'elle oscillait légèrement, comme si elle se trouvait sur le pont d'un bateau bercé par les vagues. Elle avait apporté un grand saladier en verre plein de pastilles Littmus.

— J'ai apporté quelques friandises pour après le repas.

— Oh, merci, ai-je dit, avant de poser le saladier sur la table à côté des sandwiches et du punch.

J'ai ensuite présenté Mlle Franny à Gloria. Elles se sont serré la main et ont échangé des politesses.

Puis Sweetie Pie Thomas est arrivée avec sa mère. Elle avait apporté une grosse pile de photos de chiens qu'elle avait découpées dans des magazines.

— C'est à cause du thème, a-t-elle dit. Tu peux aussi les accrocher pour décorer. J'ai apporté du ruban adhésif pour les accrocher.

Elle s'est mise à coller les photos de chiens aux arbres, aux chaises et à la table.

— Elle n'a pas cessé de parler de la fête toute la journée, a dit sa mère. Pouvez-vous la raccompagner lorsque la fête sera finie?

J'ai promis de le faire, puis j'ai présenté Sweetie Pie Thomas à Mlle Franny et à Gloria. Juste après, le pasteur est apparu. Il portait un veston et une cravate qui lui donnaient un air sérieux. Il a serré la main de Gloria et de Mlle Franny, en disant qu'il était ravi de faire leur connaissance et qu'il avait beaucoup entendu parler d'elles. Il a donné une petite tape sur la tête de Sweetie Pie Thomas, en ajoutant qu'il était content de la voir en dehors de l'église. Et pendant tout ce temps, Winn-Dixie se tenait au milieu des invités, remuant la queue si fort que j'avais peur qu'il fasse tomber Mlle Franny en équilibre sur ses talons hauts.

Amanda Wilkinson est arrivée ensuite. Avec ses cheveux blonds tout bouclés, elle avait l'air gênée et pas aussi méchante que d'habitude. Je me suis approchée d'elle et l'ai présentée à Gloria. À ma grande surprise, j'étais contente de voir Amanda. Je mourais d'envie de lui dire que je savais à propos de Carson, que je comprenais ce que c'était que de perdre quelqu'un de cher, mais je me suis tue. Je me suis contentée d'être très gentille.

Nous étions tous debout, en rond, à nous sourire, un peu embarrassés, lorsque nous avons entendu une voix nasillarde s'exclamer :

— Gertrude est un bel oiseau!

Winn-Dixie a dressé les oreilles et s'est mis à aboyer, tout en regardant autour de lui. J'ai sondé les alentours, moi aussi, mais je n'ai pas vu l'ombre de Gertrude. Ni d'Otis.

— Je reviens! ai-je lancé aux invités.

Avec Winn-Dixie, nous avons contourné la maison au pas de course. Et comme je l'avais deviné, Otis se tenait là, sur le trottoir. Il avait sa guitare sur le dos et Gertrude sur l'épaule; et dans les mains, il portait le plus gros bocal de cornichons que j'avais jamais vu.

— Otis, suis-moi, ai-je dit. La fête se déroule à l'arrière de la maison, dans la cour.

— Ah bon! a-t-il dit.

Mais il est demeuré figé comme une statue, le bocal de cornichons dans les bras.

— Chien! a croassé Gertrude, avant de s'envoler de l'épaule d'Otis et d'atterrir sur la tête de Winn-Dixie.

— Tout va bien aller, Otis. Il y a juste quelques personnes, vraiment pas grand-monde.

— Ah bon! a répété Otis en sondant les alentours comme s'il était perdu. J'ai apporté des cornichons, a-t-il ajouté en levant le bocal de cornichons.

— J'ai remarqué, ai-je dit. C'est exactement ce qu'il

nous fallait. Ils iront très bien avec les sandwiches aux œufs.

Je lui parlais très doucement et très bas, comme s'il était un animal sauvage que j'essayais d'apprivoiser avec de la nourriture dans la main. Il a avancé d'un pas.

— Allez, viens, ai-je murmuré.

J'ai commencé à marcher, suivie de Winn-Dixie et, lorsque je me suis retournée, j'ai vu qu'Otis me suivait aussi.

Chapitre vingt-deux

Otis m'a suivie jusque dans la cour, où se déroulait la fête. Avant qu'il ne puisse se sauver, je me suis empressée de le présenter au pasteur.

— Papa, je te présente Otis. C'est lui qui tient l'animalerie Gertrude's Pets. C'est lui qui joue de la guitare aux animaux.

— Enchanté, a dit le pasteur en tendant la main à Otis.

Otis se tenait là, le bocal de cornichons dans les bras, essayant de libérer l'une de ses mains pour la tendre au pasteur. Lorsqu'il a finalement posé le bocal par terre, sa guitare a glissé et lui a frappé la tête en faisant un bruit sonore. Sweetie Pie Thomas a éclaté de rire en pointant le doigt vers lui, comme s'il faisait le clown juste pour elle.

— Aïe! s'est écrié Otis.

Il s'est relevé et s'est libéré de sa guitare qu'il a posée sur le plancher à côté du bocal de cornichons; puis il s'est essuyé la main sur son pantalon et l'a tendue au pasteur.

— Ravi de faire votre connaissance, a déclaré le pasteur en lui prenant la main.

— Merci, a répondu Otis. J'ai apporté des cornichons.

J'ai remarqué, a dit le pasteur.

Une fois leur échange terminé, j'ai présenté Otis à Mlle Franny et à Amanda.

Puis je l'ai présenté à Gloria, qui lui a tendu la main et lui a souri. Otis l'a regardée droit dans les yeux et lui a adressé, à son tour, un grand sourire.

— J'ai apporté des cornichons pour la fête, a dit Otis.

— J'en suis très heureuse, a répondu Gloria. Une fête sans cornichons, ce n'est pas une vraie fête.

Otis a rougi et a baissé les yeux vers le bocal.

— Opal, a dit Gloria, sais-tu quand les garçons vont arriver?

— Je ne sais pas, ai-je répondu en haussant les épaules. Je leur ai pourtant dit à quelle heure ça commençait.

Ce que je ne lui ai pas dit, c'était qu'ils ne viendraient probablement pas parce qu'ils avaient peur d'aller chez une sorcière.

— Bon, a dit Gloria. Nous avons des sandwiches aux œufs. Et du punch, des cornichons et des photos de chiens. Nous avons aussi des pastilles Littmus. Et nous avons un pasteur pour bénir cette réunion, a ajouté Gloria en se tournant vers le pasteur, qui a hoché la tête et s'est éclairci la voix.

— Seigneur Dieu, nous Te remercions pour les chaudes nuits d'été, la lumière des bougies et la bonne nourriture. Mais nous Te remercions avant tout pour les amis. Nous apprécions les cadeaux merveilleux et complexes que Tu nous offres en chacun de nous. Nous apprécions la tâche que Tu nous imposes de nous aimer de notre mieux les uns les autres, comme Tu nous aimes. Au nom du Christ. Amen.

— Amen, a dit Gloria.

— Amen, ai-je murmuré.

— Gertrude! a croassé Gertrude.

— Est-ce qu'on va manger maintenant? a demandé Sweetie Pie Thomas.

— Chut! a ordonné Amanda.

Winn-Dixie a éternué. Puis on a entendu un coup de tonnerre au loin. J'ai d'abord pensé que c'était l'estomac de Winn-Dixie.

— Il n'est pas censé pleuvoir, a protesté Gloria. Ils n'ont pas annoncé de pluie.

— Cette robe est en soie, a dit Mlle Franny. Elle ne supporte pas l'eau.

— Peut-être que nous devrions aller à l'intérieur, a suggéré Amanda.

Le pasteur a levé les yeux vers le ciel. Et juste à ce moment-là, la pluie s'est mise à tomber à verse.

Chapitre vingt-trois

— Ramasse vite les sandwiches! m'a crié Gloria. Rentre le punch.

— Oh! mes photos de chiens! s'est écriée Sweetie Pie Thomas, qui courait dans toutes les directions, arrachant une à une les photos des troncs d'arbres et des chaises. Ne t'en fais pas, continuait-elle à crier. Je les ai!

J'ai saisi le plateau de sandwiches et le pasteur a attrapé le punch, puis nous nous sommes précipités dans la cuisine. J'ai aperçu Amanda qui tenait le bras de Mlle Franny pour l'aider à se mettre à l'abri. Mlle Franny avait tellement de difficulté à garder l'équilibre avec ses chaussures à talons hauts que, sans l'aide d'Amanda, elle aurait été terrassée par la pluie.

J'ai attrapé le bras de Gloria.

— Ça va, a-t-elle dit, mais elle a quand même accepté mon bras et l'a tenu fermement.

Avant d'entrer dans la maison, j'ai jeté un coup d'œil autour du jardin. Toutes les banderoles étaient détrempées et les bougies s'étaient éteintes. C'est alors que j'ai aperçu Otis. Il était debout, les yeux baissés, à côté de son bocal de cornichons.

— Otis! ai-je crié sous la pluie battante, viens, nous entrons dans la maison.

Lorsque nous sommes arrivées dans la cuisine, Amanda et Mlle Franny riaient aux éclats en se secouant comme des chiens mouillés.

— Quel déluge! s'est exclamée Mlle Franny. C'est vraiment incroyable!

— Ça nous est tombé dessus sans crier gare, a dit le pasteur.

— Ouf! a fait Gloria.

— Chien! a croassé Gertrude.

Le perroquet s'était posé sur la table de la cuisine. On entendait maintenant d'énormes grondements de tonnerre.

— Oh, non! me suis-je exclamée en regardant autour de la cuisine.

— Ne t'en fais pas! m'a lancé Sweetie Pie Thomas. J'ai sauvé mes photos de chiens. Je les ai avec moi, ajouta-t-elle en agitant ses découpages de magazines.

— Où est Winn-Dixie? ai-je hurlé.

Je ne pensais qu'à la fête et j'avais oublié Winn-Dixie. J'avais oublié de le protéger de l'orage.

— Ne t'inquiète pas, Opal, a dit le pasteur. Il est probablement dans la cour, caché sous une chaise. Allons le chercher ensemble, toi et moi.

— Attendez! est intervenue Gloria. Je vais aller vous chercher une lampe de poche et des parapluies.

Mais je ne voulais pas attendre. Je me suis précipitée dans la cour. J'ai regardé sous les chaises et tout autour des bosquets et des arbres. J'ai crié son nom à pleins poumons. J'avais envie de pleurer. C'était de ma faute. Je devais le surveiller et j'avais complètement oublié.

— Opal! a crié le pasteur.

J'ai levé les yeux et j'ai vu qu'il se tenait sur le porche avec Gloria. Et Dunlap et Stevie Dewberry étaient avec eux.

— Tes invités sont arrivés, a ajouté le pasteur.

— Ça m'est égal! ai-je rétorqué.

— Viens ici! a ordonné Gloria, d'une voix ferme et grave, en dirigeant le faisceau de sa lampe de poche dans ma direction.

J'ai marché jusqu'au porche et Gloria m'a remis la lampe.

— Va saluer les garçons, a-t-elle dit. Dis-leur que tu es contente qu'ils soient venus et que tu vas revenir dès que tu auras retrouvé ton chien.

— Salut! ai-je lancé. Merci d'être venus. Il faut que je retrouve Winn-Dixie et après, je vous rejoindrai.

Stevie me fixait, la bouche ouverte.

— As-tu besoin d'aide? a demandé Dunlap.

J'ai secoué la tête, m'efforçant de ne pas éclater en sanglots.

— Viens ici, ma petite, a dit Gloria en me prenant dans ses bras. Ça ne sert à rien de t'accrocher à quelque chose qui veut partir, tu comprends? a-t-elle murmuré à mon oreille. Tu peux seulement aimer ce que tu as, pendant que tu l'as.

Elle m'a serrée très fort.

— Bonne chance! a-t-elle lancé, lorsque le pasteur et moi sommes descendus du porche pour nous lancer sous la pluie.

— Bonne chance! nous a souhaité Mlle Franny, de la cuisine.

— Ce chien n'est pas perdu! a crié Sweetie Pie Thomas à quelqu'un à l'intérieur. Il est trop intelligent pour se perdre.

Lorsque je me suis retournée vers la maison, la

dernière chose que j'ai aperçue, c'est le crâne chauve de Dunlap Dewberry qui brillait sous la lumière. Une vague de tristesse m'a alors envahie de le voir debout sous le porche de Gloria, la tête chauve. Ayant saisi mon regard, Dunlap m'a fait un signe de la main. Mais je n'ai pas répondu.

Chapitre vingt-quatre

Le pasteur et moi avons commencé à marcher et à appeler Winn-Dixie. J'étais contente qu'il pleuve à verse, car c'était plus facile de pleurer. Je n'ai pas arrêté de pleurer tout en appelant Winn-Dixie.

— Winn-Dixie! ai-je hurlé.

— Winn-Dixie! a crié le pasteur, qui s'est mis à siffler fort et longtemps.

Mais Winn-Dixie n'a pas donné signe de vie.

Nous avons parcouru toute la ville. Nous sommes passés devant la maison des Dewberry, la bibliothèque Herman W. Block, la maison jaune de Sweetie Pie Thomas et l'animalerie Gertrude's Pets. Lorsque nous avons atteint le parc de maisons mobiles Friendly

Corners, nous avons regardé sous notre maison. Nous avons ensuite fait un détour par l'église baptiste Open Arms de Naomi. Nous avons longé la voie ferrée et descendu jusqu'à l'autoroute 50. Les voitures filaient à vive allure, leurs phares arrière brillant comme des yeux rouges menaçants.

— Papa, et s'il s'était fait écraser?

— Opal, a répondu le pasteur. Nous ne pouvons pas nous faire du souci pour ce qui risque d'être arrivé. Nous devons simplement continuer à chercher.

Nous avons marché sans relâche. Et dans ma tête, j'ai dressé une liste de dix choses que je savais de Winn-Dixie, des choses que j'allais écrire sur de grandes affiches que j'allais poser dans le voisinage, pour aider les gens à le retrouver.

Numéro un, il avait une peur pathologique des orages.

Numéro deux, il aimait sourire, en montrant toutes ses dents.

Numéro trois, il courait très vite.

Numéro quatre, il ronflait.

Numéro cinq, il savait attraper les souris sans les écraser.

Numéro six, il aimait les gens.

Numéro sept, il adorait le beurre d'arachides.

Numéro huit, il ne supportait pas de rester seul.

Numéro neuf, il aimait s'asseoir sur les canapés et dormir sur les lits.

Numéro dix, cela ne lui faisait rien d'aller à l'église.

Je n'ai pas cessé de repasser la liste dans ma tête. Je l'ai mémorisée de la même façon que je l'avais fait pour la liste des choses sur maman. Je l'ai mémorisée pour que, si je ne le retrouvais pas, il me reste quand même une part de lui. Mais, au même instant, j'ai pensé à une chose qui ne m'était jamais venue à l'idée : c'était qu'une liste de choses ne pouvait pas donner une image exacte du véritable Winn-Dixie, tout comme la liste des dix choses sur maman ne pouvait pas me la faire connaître. Et à cette pensée, j'ai de nouveau éclaté en sanglots.

Le pasteur et moi avons cherché pendant longtemps et, finalement, il a décidé que nous devions arrêter les recherches.

— Mais papa, ai-je supplié, Winn-Dixie est là quelque part. Nous ne pouvons pas le laisser.

— Opal, a dit le pasteur, nous avons cherché absolument partout.

— Je n'arrive pas à croire que tu vas abandonner, ai-je dit.

— India Opal, a dit le pasteur en se frottant le nez, ne discute pas avec moi.

Je l'ai regardé. La pluie s'était dissipée et s'était transformée en bruine.

— Il est temps de rentrer, a dit le pasteur.

— Non! ai-je rétorqué. Tu y vas, si tu veux, mais moi, je continue à chercher.

— Opal, a dit le pasteur d'une voix très douce, il faut

abandonner les recherches.

— Tu abandonnes toujours, ai-je protesté. Tu rentres toujours dans ta stupide carapace de tortue. Je parie que tu ne t'es même pas donné la peine de convaincre maman de rester lorsqu'elle a voulu partir. Je parie que tu l'as simplement laissée partir, elle aussi.

— Ma chérie, a repris le pasteur, je n'ai pas pu l'arrêter. J'ai essayé... Ne penses-tu pas que je voulais qu'elle reste, moi aussi? Ne penses-tu pas qu'elle me manque tous les jours? a-t-il ajouté en ouvrant grands les bras avant de les laisser retomber. J'ai essayé, a-t-il répété. J'ai fait tout ce que j'ai pu.

Il s'est alors passé quelque chose d'incroyable. Le pasteur a fondu en larmes. Il pleurait en reniflant bruyamment, les épaules secouées par les sanglots.

— Ne va surtout pas croire que de perdre Winn-Dixie ne me fait pas autant de peine qu'à toi, a-t-il ajouté. J'aime ce chien. Je l'aime, moi aussi.

— Papa! me suis-je écriée en courant vers lui pour

lui entourer la taille de mes bras.

Il pleurait si fort qu'il en tremblait.

— Ne t'en fais pas, papa. Ne t'en fais pas, lui ai-je murmuré, comme à un petit enfant effrayé. Tout va bien aller.

Nous étions là, enlacés, à nous réconforter. Au bout d'un moment, le pasteur a cessé de trembler, mais j'ai continué à l'enlacer; j'ai fini par trouver le courage de poser la question qui me hantait.

— Penses-tu qu'elle va revenir un jour? ai-je murmuré.

— Non, a répondu le pasteur. Non, je ne pense pas. Pendant des années, j'ai espéré et prié pour que ça se produise; j'ai même rêvé qu'elle revenait. Mais je ne crois pas qu'elle revienne un jour.

— Gloria m'a dit qu'il ne faut pas s'accrocher à quoi que ce soit. Qu'on peut seulement aimer ce que l'on a, pendant qu'on l'a.

— Elle a raison, a dit le pasteur. Gloria a raison.

— Je ne suis pas encore prête à laisser partir Winn-Dixie, ai-je déclaré.

Avec cette discussion sur maman, je l'avais complètement oublié pendant un instant.

— Nous allons continuer à le chercher... tous les deux, a répondu le pasteur. Mais tu sais quoi? Je viens de me rendre compte de quelque chose, India Opal. Lorsque je t'ai dit que ta maman était partie sans rien laisser derrière elle, j'avais oublié une chose, une chose très importante qu'elle a laissée.

— Quoi? ai-je demandé.

— Toi, a-t-il répondu. Je remercie Dieu qu'elle ne t'ait pas emportée avec elle, a-t-il ajouté en me serrant très fort.

— Je suis contente de t'avoir, moi aussi, ai-je dit.

Et je le pensais sincèrement. Je lui ai pris la main et nous avons repris la direction du centre-ville, appelant et sifflant tout au long du chemin, à la recherche de Winn-Dixie.

Chapitre vingt-cinq

Nous avons entendu la musique avant même d'atteindre la maison de Gloria. Nous étions encore à plus d'un pâté de maisons. Nous entendions la guitare, les voix qui chantaient et les mains qui tapaient.

— Je me demande ce qui se passe, a dit mon père.

Nous avons franchi le trottoir qui longeait la propriété de Gloria, traversé la cour et pénétré dans la cuisine. C'est alors que nous avons vu Otis qui jouait de la guitare, et Mlle Franny et Gloria qui étaient assises et chantaient, l'air radieux. Sweetie Pie Thomas était assise sur les genoux de Gloria. Amanda Wilkinson, Dunlap et Stevie Dewberry, qui étaient assis sur le plancher de la cuisine, tapaient dans leurs mains et semblaient beaucoup s'amuser. Amanda souriait. Je n'en revenais pas de voir leur mine réjouie, sachant que Winn-Dixie avait disparu.

— Nous ne l'avons pas trouvé! ai-je crié.

La musique s'est arrêtée et Gloria m'a regardée.

— Pauvre petite, nous savons bien que vous ne l'avez pas trouvé, a-t-elle dit. Vous ne l'avez pas trouvé parce qu'il n'avait pas bougé d'ici!

Elle a pris sa canne et a tapé quelque chose sous sa chaise.

— Sors de là! a-t-elle ordonné.

On a entendu un reniflement et un soupir.

— Il dort, a-t-elle déclaré. Il est complètement épuisé.

Elle a donné un autre petit coup sur le plancher avec sa canne. Winn-Dixie est alors sorti de dessous sa chaise et a bâillé.

— Winn-Dixie! ai-je crié.

— Chien! a croassé Gertrude.

Winn-Dixie a remué la queue, m'a montré toutes ses dents et a éternué. Je me suis précipitée vers lui en poussant tout le monde pour me frayer un passage. Je me suis laissée glisser sur le plancher et ai serré Winn-Dixie dans mes bras.

— Où étais-tu passé? lui ai-je demandé.

En guise de réponse, il a encore bâillé.

— Comment l'avez-vous retrouvé? ai-je demandé.

— C'est une longue histoire, a répondu Mlle Franny. Gloria, pourquoi ne lui racontez-vous pas?

— Eh bien! a commencé Gloria, nous étions tous assis à vous attendre. Une fois que j'ai pu convaincre les frères Dewberry que je n'étais pas une vieille sorcière dangereuse qui jetait des mauvais sorts avec ses potions.

— Ce n'est pas une sorcière, a dit Stevie, légèrement déçu, en secouant sa tête chauve.

— Non, a renchéri Dunlap. Si c'était une sorcière, elle nous aurait déjà tous transformés en crapauds, a-t-il ajouté en souriant.

— J'aurais pu vous le dire que ce n'était pas une sorcière, ai-je souligné. Les sorcières, ça n'existe pas. Ce sont juste des mythes.

— Ça suffit, maintenant, est intervenue Gloria. Voici ce qui s'est passé : nous avons d'abord parlé de sorcellerie, puis Franny nous a suggéré de jouer un peu de musique en attendant votre retour. Alors, Otis a pris sa guitare. Je vous assure qu'il n'y a pas une chanson qu'il ne connaît pas. Et s'il ne la connaît pas, il suffit d'en fredonner l'air et il peut tout de suite jouer la mélodie. Il a un don.

Gloria s'est tue et a souri à Otis, qui lui a souri à son tour. Il avait le visage rayonnant.

— Racontez ce qui s'est passé avec le chien, a dit Sweetie Pie Thomas.

— Donc, a poursuivi Gloria, Franny et moi essayions de nous souvenir des chansons que nous connaissions lorsque nous étions jeunes. Nous avons demandé à Otis de les jouer, et nous avons commencé à les chanter et à apprendre les paroles aux enfants.

— Et quelqu'un a reniflé! a crié Sweetie Pie Thomas.

— C'est exact, a dit Gloria. Quelqu'un a reniflé, et ce n'était pas l'un de nous. Alors nous avons regardé autour de nous, nous demandant qui ça pouvait bien être et pensant qu'un voleur avait peut-être pénétré dans la maison. Mais nous n'avons rien vu et nous avons continué à chanter. Tout à coup, nous avons entendu un *atchoum!* sonore, qui semblait provenir de ma chambre. J'ai envoyé Otis vérifier. Et savez-vous ce qu'il a trouvé?

J'ai secoué la tête.

— Winn-Dixie! a crié Sweetie Pie Thomas.

— Ton chien était caché sous mon lit, tapi dans un coin comme si le ciel allait lui tomber sur la tête. Mais il souriait chaque fois qu'Otis jouait de la guitare, il souriait tellement qu'il en a éternué.

Mon père a éclaté de rire.

— C'est vrai, a déclaré Mlle Franny.

— C'est vrai, a renchéri Stevie.

Dunlap a acquiescé et m'a souri.

— Toujours est-il, a repris Gloria, qu'Otis a joué de la guitare juste pour le chien et que, petit à petit, Winn-Dixie a fini par sortir de sa cachette.

— Il était couvert de poussière, a fait remarquer Amanda.

— Il avait l'air d'un fantôme! a ajouté Dunlap.

— Oui, a dit Sweetie Pie Thomas. Il était comme un fantôme.

— C'est vrai, a renchéri Gloria. Il ressemblait vraiment à un fantôme! Au bout d'un moment, l'orage s'est arrêté. Et ton chien s'est installé sous ma chaise et s'est endormi. Il n'a pas bougé de là depuis. Il attendait simplement que tu reviennes le chercher.

— Winn-Dixie, ai-je dit en le serrant si fort qu'il devait avoir du mal à respirer. Nous étions dehors à t'appeler et à te siffler, et tout ce temps-là, tu étais ici!

Merci, ai-je ajouté en me tournant vers les autres.

— Tu sais, a dit Gloria, nous n'avons rien fait. Nous sommes simplement restés ici à attendre et à chanter des chansons. Nous sommes devenus très bons amis. Bon... Le punch n'est plus que de l'eau et les sandwiches ont été réduits en bouillie par l'averse. Si vous voulez de la salade aux œufs, vous aurez besoin d'une petite cuillère. Mais il nous reste encore des cornichons. Et des pastilles Littmus. La fête n'est pas terminée.

Mon père a tiré une chaise et s'y est assis.

— Otis, est-ce que tu connais des hymnes? a-t-il demandé.

— J'en connais quelques-uns, a répondu Otis.

— Vous fredonnez un air, a lancé Mlle Franny en hochant la tête, et il peut le jouer!

Mon père s'est alors mis à fredonner un air et Otis l'a accompagné avec sa guitare; Winn-Dixie a remué la queue et s'est recouché sous la chaise de Gloria. J'ai regardé tous les visages dans la pièce, les uns après les autres, et j'ai senti mon cœur se gonfler de joie.

— Je reviens dans un instant! ai-je lancé.

Mais personne ne prêtait attention à moi, car ils étaient tous occupés à chanter et à rire; et Winn-Dixie ronflait dans son coin comme un bienheureux.

Chapitre vingt-six

Dehors, la pluie avait cessé et les nuages s'étaient dissipés. Le ciel était si clair que j'avais l'impression d'apercevoir toutes les étoiles de l'univers. J'ai marché jusqu'au fond de la cour de Gloria, puis j'ai regardé son arbre à erreurs. Les bouteilles étaient totalement immobiles parce qu'il n'y avait pas de brise. J'ai observé l'arbre, puis j'ai levé les yeux vers le ciel.

— Maman, ai-je dit, comme si elle se trouvait là, à côté de moi. Je sais dix choses sur toi; ce n'est pas beaucoup, en tout cas pas assez, mais papa va encore me parler de toi. Je sais qu'il va le faire, maintenant qu'il sait que tu ne reviendras pas. Tu nous manques beaucoup à tous les deux, mais je n'ai plus le cœur gros. Je ne ressens plus de vide. Je penserai encore à toi, je te le promets. Mais probablement pas autant que cet été.

Voilà ce que j'ai déclaré, ce soir-là, sous l'arbre à erreurs de Gloria. Je suis ensuite demeurée un instant à fixer le ciel, à observer les constellations et les planètes. Je me suis alors souvenue de mon propre arbre, celui que Gloria m'avait aidée à planter. Je n'étais pas allée le voir depuis longtemps. Je l'ai cherché tout autour, à quatre pattes. Lorsque je l'ai trouvé, j'ai été surprise de voir comme il avait grandi. Il était encore petit. Il avait encore davantage l'air d'une plante que d'un arbre, mais ses feuilles et ses branches avaient l'air très solides et saines. J'étais ainsi agenouillée près de mon arbre lorsque j'ai entendu une voix.

— Es-tu en train de prier?

J'ai levé les yeux. C'était Dunlap.

— Non, ai-je répondu. Je ne prie pas, je réfléchis.

Il a croisé les bras et m'a regardée.

— À quoi? a-t-il demandé.

— À toutes sortes de choses. Je regrette de vous avoir traités de bébés chauves, toi et Stevie.

— Ça ne fait rien. Gloria m'a demandé de venir te chercher.

— Je t'avais bien dit que ce n'était pas une sorcière.

— Je sais, a-t-il répondu. Je l'ai toujours su. C'était pour te taquiner.

— Oh! ai-je fait en le dévisageant.

Je le voyais à peine dans l'obscurité qui enveloppait la cour.

— Est-ce que tu viens? a-t-il demandé.

— Oui, ai-je dit.

Puis, à ma grande surprise, il a fait quelque chose que je n'aurais jamais imaginé de la part d'un des frères Dewberry. Il m'a tendu la main pour m'aider à me relever. J'ai saisi sa main et je l'ai laissé faire.

— On fait une course jusqu'à la maison? a proposé Dunlap.

— D'accord! ai-je crié. Mais je te préviens, je suis rapide.

Nous avons couru et je l'ai battu. J'ai touché le coin de la maison de Gloria juste avant lui.

— Vous ne devriez pas courir dans le noir, a dit Amanda, qui se tenait sur le porche et nous observait. Vous pourriez trébucher sur quelque chose.

— Ah, Amanda! a fait Dunlap en secouant la tête.

— Ah, Amanda! ai-je dit à mon tour.

Je me suis alors souvenue de Carson et j'ai eu de la peine pour elle. Lorsque j'ai atteint le porche, je lui ai pris la main et je l'ai tirée.

— Rentrons, ai-je proposé.

— India Opal! s'est écrié papa lorsque nous avons pénétré dans la pièce, Dunlap, Amanda et moi. Êtes-vous venus chanter avec nous?

— Oui, m'sieur, ai-je répliqué. Mais je ne connais pas beaucoup de chansons.

— Nous allons vous en apprendre, a-t-il dit en

m'adressant un grand sourire qui faisait plaisir à voir.

— C'est exact, a renchéri Gloria. C'est ce que nous allons faire.

Sweetie Pie Thomas était toujours assise sur ses genoux, mais elle avait les yeux fermés maintenant.

— Veux-tu une pastille Littmus? m'a demandé Mlle Franny en me passant le saladier.

— Merci, ai-je répondu en me servant une pastille, que j'ai déballée et mise dans ma bouche.

— Veux-tu un cornichon? a demandé Otis, qui tenait son gros bocal de cornichons.

— Non, merci. Pas maintenant.

Winn-Dixie est sorti de dessous la chaise de Gloria. Il est venu s'asseoir juste à côté de moi et s'est appuyé sur moi, comme moi, j'étais appuyée sur papa.

Amanda se tenait droite à côté de moi, et quand je me suis tournée vers elle, j'ai vu qu'elle n'avait pas l'air pincé du tout.

— Alors, est-ce qu'on chante ou quoi? a demandé

Dunlap après s'être fait craquer les jointures.

— Ouais, a dit Stevie. Est-ce qu'on chante ou quoi?

— Chantons! a enchaîné Sweetie Pie Thomas, qui venait d'ouvrir les yeux et de se redresser. Chantons pour le chien.

Otis a éclaté de rire et s'est mis à gratter sa guitare; j'ai alors senti la saveur de la pastille Littmus éclore dans ma bouche, comme une fleur au printemps, à la fois douce et triste. Puis Otis et Gloria, Stevie et Mlle Franny, Dunlap et Amanda, Sweetie Pie Thomas et papa ont tous entonné une chanson. Et j'ai écouté attentivement pour bien l'apprendre.